Cyfres Sut i Greu

SUT I GREU DRAMA FER

Emyr Edwards

Cyhoeddiadau Barddas
2012

ⓗ Emyr Edwards / Cyhoeddiadau Barddas

Argraffiad cyntaf: 2012

ISBN 978-1-906396-48-0

Cyhoeddwyd gyda chymorth ariannol
Cyngor Llyfrau Cymru.

Cyhoeddwyd gan Gyhoeddiadau Barddas
Argraffwyd gan Wasg Dinefwr, Llandybïe

Cynnwys

LLWYFAN A THEATR

Rhagair

RAI BLYNYDDOEDD YN ÔL fe awgrymodd Emyr Humphreys a Huw Lloyd Edwards, mewn beirniadaeth ysgrifenedig yng Nghyfansoddiadau a Beirniadaethau'r Eisteddfod Genedlaethol, y dylid gosod sylwadau beirniaid yr ŵyl dros y blynyddoedd mewn cyfrol er mwyn cyfoethogi gwybodaeth darpar ddramodwyr am y grefft o ysgrifennu dramâu. Chwistrellwyd peth o'r wybodaeth werthfawr honno i wead y gyfrol hon gan obeithio y bydd yn cyfoethogi'r sylwadau a geir yma. Yn ychwanegol at hynny, rhoddir sylw i enghreifftiau o grefft croestoriad o'n dramodwyr cynhenid, yn ogystal â chyfieithiadau o ieithoedd eraill.

Dim ond cyffwrdd â godreon y grefft y gellir ei wneud mewn cyfrol fel hon. Pwysleisir yr angen i ddarllen dramâu byrion, yn ogystal â'u gwylio, er mwyn gweld rhan yr actor, y cyfarwyddwr a'r technegydd yn y broses o roi bywyd, cig a gwaed, ac amgylchfyd iddynt.

Y mae rhai o'r canllawiau a geir yma ar y grefft o lunio drama fer yr un mor briodol i ffurfiau eraill ar gyfansoddi drama. Nid oes angen ein hatgoffa fod y bywyd sydd o'n cwmpas bob dydd yn gyforiog o bynciau dramatig, a bod stori y tu ôl i bob sefyllfa dan haul. Mae'n frith o olygfeydd comig a thrasig o un pen i'r llall. Wrth ddisgwyl am fws neu drên, disgrifio'n gwaith beunyddiol, wynebu penderfyniadau, chwilio am ystyr, mae'r byd yn llawn drama. Does dim rhaid chwilio ymhell i gael syniad, sefyllfa, digwyddiad, cyffro, gwrthdaro neu thema a fydd yn gychwyn ac yn ysbardun i'r dychymyg. Mae'n siŵr bod ambell ddramodydd yn chwilio mewn mannau digon anghysbell am fan cychwyn i'w sefyllfa ddramatig. Yn aml, ar stepen y drws, ar drothwy ein bywydau beunyddiol y ceir y deunydd i gychwyn drama effeithiol.

Cyn chwilio, mae'n rhaid cofio mai stori sydd wrth gefn pob drama. Y stori sydd yn sail i'r plot, a'r digwydd yw'r elfen sy'n denu cynulleidfa i wrando ac i ddal i wrando trwy holl helbulon datblygiad y chwarae ar lwyfan. Ar ôl cael gafael yn y deunydd, mae angen yr ysbrydoliaeth, yna'r dychymyg, ac wedyn y grefft. Datblyga'r gelfyddyd gydag amser yn nwylo'r cyfarwyddwr, yr actorion a'r technegwyr theatr.

Wrth drafod y gwahaniaeth rhwng drama fer a drama hir, mae John Gwilym Jones, yn ei sylwadau treiddgar ar lunio drama yn ei feirniadaeth ar y ddrama fer yn Eisteddfod Genedlaethol Hen Golwyn, 1941, yn dweud:

> Yr un yw'r grefft o'u hysgrifennu. Os oes rheolau o gwbl, yr un rhai ydynt. Cyfyngir ar y ddwy gan amser a lle ... Fe ddewis awdur Drama Dair Act dri amgylchiad – y pwysig, y pwysicach a'r pwysicaf; neu fe ddewis un amgylchiad a'i raddoli. Heb orlwytho, un amgylchiad yn unig a all awdur Drama Fer ei ddewis.

Cefndir

DIFFINIAD

Rwy'n CREDU y gallwn ystyried y label 'drama un act', a roddir ar ddrama fer, yn agos at y marc wrth geisio diffinio'r *genre* dan sylw yma. Gellir dweud bod yna un weithred sylfaenol, un digwyddiad canolog o fewn strwythur y ddrama fer, a'r un act honno'n arwyddocaol yn ei chyflawnder am ei bod wedi ei chyfyngu i hyn a hyn o amser.

Gellir gwneud gosodiad gweddol glir ar ddechrau ein trafodaeth, sef nad sgets mo'r ddrama fer ac mai creadur tra gwahanol eto yw'r ddrama hir. Cyfeiria'r beirniaid yn gyson at y gwendid wrth i awduron lunio sgets yn hytrach na drama fer. Ry'n ni'n weddol glir beth yw hyd a lled sgets. Mae gennym ni'r Cymry brofiad o weld sgetsys mewn nosweithiau llawen. Gall sgets fod yn fawr fwy na deialog wedi ei seilio ar dro trwstan neu jôc, rhwng dau neu dri chymeriad, efallai, na chymer fwy na rhyw bum munud i'w llwyfannu. Er bod yna elfennau dramatig mewn sgets, dyw'r amser ddim yn caniatáu datblygu plot, na hir drafod y natur ddynol. Mae'r ergyd yn tanio, ac yna drosodd mewn eiliad – digwydd a darfu.

Bwriad y ddrama fer yw cyflwyno ffrâm gywasgedig o brofiad arwyddocaol. Efallai fod gosod y ffurf ddramatig hon ochr yn ochr â'r ddrama hir yn debyg i gyfosod stori fer ochr yn ochr â nofel, telyneg ochr yn ochr â phryddest, neu *concerto* ochr yn ochr â symffoni. Ochr yn ochr â'r ddrama fer mae'r sgets yr un fath â gosod darn o lên meicro ochr yn ochr â stori fer. Mater o hyd ydyw i ddechrau, mater o undod a chyfanrwydd ydyw yn y pen draw.

Beth bynnag yw'r maint a'r hyd, mae pob *genre* artistig yn gobeithio sefydlu amgylchfyd sy'n tywys y gwylwyr neu'r gwrandawyr i le na fuon nhw ag ef neu hi gynt, i gyffwrdd â nhw mewn ffordd unigryw, fel y byddant, ar ôl cyrraedd y diwedd, beth bynnag yw hyd y daith, wedi cael profiad newydd sbon. Mae'r ffurfiau'n wahanol yn ôl yr amser a roddir iddynt sefydlu hyn, a maint y cywasgiad a maint y tirlun a roddir i gyflawni'r profiad. Fel yr awgrymodd Sera Moore Williams ac Euros Lewis yn eu beirniadaeth ar y ddrama fer yn Eisteddfod Genedlaethol Tyddewi, 2002:

> rŷn ni i gyd yn deall mai drama a gymer rywfaint rhwng ugain a deugain munud i'w chwarae yw drama fer. Dyna'r confensiwn, ond nid dyna na swm na sylwedd y confensiwn. Yn sicr, nid fersiwn byr ar 'ddrama hir' yw 'drama fer'. Fel y mae maint y ffrâm yn sylfaenol bwysig i ffocws gweledigaethol yr artist, a ffurf y gynghanedd yn waelodol i fynegiant dewisedig y bardd neu'r cerddor, felly hefyd y mae ffiniau cyfyng y ddrama fer yn gosod sialens greadigol benodol i'r dramodydd uchelgeisiol.

Gellir diffinio'r ddrama fer, felly, o safbwynt ei hyd a'i chynnwys. Ond nid yw ei hyd bob amser yn adlewyrchu ei chynnwys, a dyna dorri confensiwn yn syth. Yr oedd dramâu byrion Chekhov, meistr ar y ffurf, yn llwyddiant mawr o flaen cynulleidfaoedd ei ddydd, er mai *'vaudevilles'* a 'sgetsys' oeddynt i Chekhov, darnau bach di-nod, rhai'n cymryd rhyw chwarter awr i ugain munud i'w perfformio. Er hynny maent yn dal yn *repertoire* y theatr fel dramâu byrion hyd heddiw. Ar y llaw arall, yr oedd drama fer Strindberg, *Miss Julie*, yn estyn i awr a deng munud ar lwyfan, a'r awdur yn mynnu cael chwarae dwy ran y ddrama fel undod a heb fwlch yn ei chanol.

Dyna ddwy ddrama fer sy'n chwalu label cyfyngder amser ar y ffurf. Yr hyn sy'n gyffredin rhyngddynt yw'r ffaith bod y ddwy yn unedau dramatig cyflawn ynddynt eu hunain. Ond mwy am hynny yn y man.

Mae yna gyfle ar gynfas drama hir i gymeriadau ddatblygu, a datgelu eu problemau a'u dyheadau, eu cyswllt â'i gilydd, eu hamgylchiadau a'u cyfrinachau. Ond mewn drama fer nid yw'r un cyfle yn bod, nid oes amser i fanylu'n ormodol ar fanylion, rhaid yn hytrach fwrw ati ar unwaith i osod y cymeriadau yn eu sefyllfa a rhoi cychwyn i'r plot o'r eiliad cyntaf. Rhaid mynd ati ar unwaith o'r foment gyntaf i sefydlu pob dim sy'n angenrheidiol i ddatblygiad y chwarae, o fewn cyfyngiadau amser y ddrama fer ar lwyfan. Gall cymhlethdod plot y ddrama hir gymryd ei amser i ddatblygu o fewn ffiniau dwy awr neu fwy. Byddai cymhlethu plot drama fer yn golygu gorlwytho enbyd ac o ganlyniad ddinistrio uniongyrchedd y mynegiant.

TARDDIAD Y DDRAMA FER

Nid un act o ddrama hir yw drama fer. Mae gwreiddiau'r ddrama fer i'w cael yn theatr Roegaidd (e.e. *Cyclops* gan Euripides), yn nramâu crefyddol yr Oesoedd Canol, ac yn anterliwtiau Ewropeaidd cyfnod y Dadeni. Traddodiad cymharol fyr sydd i'r ddrama fer fodern fodd bynnag, a gellir ei olrhain i'r bedwaredd ganrif ar bymtheg. Datblygodd o'r arfer o berfformio pytiau o olygfeydd, yn enwedig golygfeydd a gywasgwyd o ddramâu Shakespeare, yn rhaglenni'r cwmnïau crwydrol mewn ffeiriau, yn arbennig rhai a ddeuai o Loegr i Gymru. Yr un pryd, tyfodd ffasiwn ym Mharis yn y ganrif honno i berfformio sgetsys, gan awduron fel Maupassant, i gynulleidfaoedd gwâr. Dylanwadodd hyn ar Chekhov yn Rwsia, a datblygodd ffurf y ddrama fer yn weddol gyflym o'r cnewyllyn hwn. Lledodd i Loegr trwy gyfieithiadau, a dechreuodd fagu gwreiddiau yno o ganol y bedwaredd ganrif ar bymtheg ymlaen.

Y mae gwaith Strindberg ar derfyn y bedwaredd ganrif ar bymtheg yn esiampl ddiddorol o'r modd y defnyddid y ddrama fer yn ei ffurf newydd. Ysgrifennodd ddeg drama fer a ymddangosodd yn gadwyn o berfformiadau, gan ddefnyddio'r un set (yn dynodi ystafell mewn bloc o fflatiau yn Stockholm) a'r un casgliad o gymeriadau i bob drama fer. Disgrifir hwy bellach fel ffurf ar *Coronation Street* dosbarth canol Sweden y cyfnod. Nid yn unig yr oedd y cymeriadau'n cyfnewid ond yr oedd elfennau o'r plotiau hefyd yn ymgymysgu â'i gilydd. Gallai strwythur o'r math yma fod yn ysbrydoliaeth i ddramodydd yn ein cyfnod ni heddiw.

Dramodydd arall a arbrofodd â ffurf y ddrama fer yn ystod yr ugeinfed ganrif oedd Bertolt Brecht. Ysgrifennodd yr hyn a alwodd yn Lehrstücke gan eu defnyddio i ddysgu gwersi, megis damhegion modern, am fywyd fel yr oedd Marcsydd yn ei ddehongli.

Ymddiddanion crefyddol a storïau'r Beibl wedi eu dramateiddio oedd man cychwyn y ddrama fer yng Nghymru, nes iddynt droi'n ddramâu byrion seciwlar cyn diwedd y bedwaredd ganrif ar bymtheg. Mae i'r ddrama fer yng Nghymru ei thraddodiad ei hun felly, traddodiad disglair a esgorodd ar lu o gwmnïau drama lleol mewn trefi a phentrefi ddechrau'r ugeinfed ganrif. Yr oedd galw mawr bryd hynny am ddramâu 'un act' er mwyn codi arian i brynu organ neu offer capel. Daeth cystadleuaeth ysgrifennu drama fer yn boblogaidd tu hwnt mewn eisteddfodau a bu llewyrch ar gystadlaethau perfformio'r ddrama fer hefyd.

Heddiw ceir ffurf newydd radical arni, sef y 'fflach ddrama', drama fer y gellir ei pherfformio mewn deng munud, a hynny mewn clwb nos neu gabare neu dafarn.

CYN MENTRO YSGRIFENNU

Mae yna dri chwestiwn y dylid eu hateb cyn mentro ysgrifennu drama:

1. Beth yw offer y dramodydd?
2. Ble mae gweithdy'r dramodydd?
3. Beth yw diben y dramodydd wrth greu'r ddrama?

Byddwn yn cyffwrdd â'r cwestiynau hyn wrth drafod goblygiadau'r grefft. Ond i ddechrau gallwn osod ambell abwyd er mwyn sbarduno'r drafodaeth.

Fel pob crefftwr, mae gan ddramodwyr ddeunydd wrth law yn eu profiad o fywyd, ynghyd â phrofiadau pobol eraill. Mae ganddynt ddychymyg, a rhaid hogi hwnnw'n gyson. Trwy ddelweddau a geiriau gellir cynllunio ac yna lunio sefyllfaoedd a chymeriadau. Rhaid bod gan ddramodydd gariad at iaith, ac at fynegiant trwy iaith, er mwyn paratoi'r ddeialog hollbwysig sy'n deillio o'r profiadau a'r delweddau hyn. Ond dylai'r crefftwr hefyd fod yn sensitif i'r natur ddynol. Bydd angen iddo fedru naddu o'i brofiad, sefyllfa a chymeriad, gweithred ac emosiwn. Mae'r ddawn i ddweud stori'n hanfodol, a honno'n stori fydd yn cydio o'i dechrau hyd ei diwedd ac yn taflu golau llachar ar gampau a gwendidau'r natur ddynol. Gan mai ar ffurf deialog y bydd drama ar y cyfan yn ymddangos o ddwylo'r awdur, mae'n amlwg fod angen ymarfer ysgrifennu yn y dull hwnnw'n gyson, er mwyn gallu datblygu sefyllfa o sgwrs neu wrthdaro rhwng cymeriadau.

Mae'r ail gwestiwn yn haws i'w ateb, gan mai yn y meddwl y bydd y dramodydd yn dyfeisio'i waith. Ar lwyfan y meddwl y bydd yn gosod ei olygfa ac yn symud ei gymeriadau. A hwythau, fel gwrandawyr y ddeialog a gwylwyr y gweithredoedd, fydd cynulleidfa gyntaf eu drama. Fel arfer, ymhell cyn i'r geiriau ymddangos ar bapur, bydd y dramodydd wedi taro ar syniad neu strwythur neu strategaeth, sefyllfa neu gymeriadau, ar gyfer datblygu'r gwaith. Yn y meddwl dylai fod stôr o wybodaeth am ffurf a chynnwys gwaith dramodwyr eraill. Bydd unrhyw ddramodydd sy'n cymryd ei grefft o ddifri wedi cael y profiad o fynd i'r theatr a gweld actorion a chynllunwyr wrth eu gwaith. Dylai meddwl y dramodydd fyrlymu â'r awydd i feistroli'r grefft. A dyna daro drachefn ar ddisgyblaeth yma, oherwydd mae llwyfan y meddwl yn eang a galwadau'r ddrama yn gyfyng. Rhaid cywasgu ehangder y dychymyg a'r weledigaeth i ofynion y stori, y plot, y digwydd a'r cyfanwaith.

Er mwyn ateb y trydydd cwestiwn bydd angen galw ar bob dramodydd unigol i'w holi ei hun at ba ddiben y bydd yn cyn-llunio drama. Mae'n amlwg fod yn rhaid i ddrama ddiddori, bodloni ac adlonni cynulleidfa, gan mai ar gyfer cynulleidfa theatr y bydd yn ysgrifennu'r ddrama yn y lle cyntaf. Gall hefyd, yn dibynnu ar natur a chynnwys y gwaith, gyffroi a chynhyrfu, a hyd yn oed syfrdanu cynulleidfa. Gan fod y dramodydd yn adlewyrchu, mewn modd arbennig ar lwyfan, ragoriaethau, rhag-farnau neu wendidau dynoliaeth, gall y ddrama fod yn brofiad addysgol yn y theatr yn ogystal.

Mynegwyd geiriau doeth gan John Gwilym Jones mewn beirn-iadaeth ar gystadleuaeth y ddrama fer yn Eisteddfod Genedlaethol Rhosllannerchrugog yn 1945 ar gyfer unrhyw un sydd ag awydd llunio deunydd ar gyfer y llwyfan:

> Ni ddysg neb ysgrifennu drama ychwaith heb, nid yn unig ddarllen dramâu cydnabyddedig dda, ond hefyd trwy fynychu perfform-iadau ohonynt, fagu crebwyll a synnwyr i adnabod beth sy'n weddus a chwaethus a phosib ac effeithiol ar lwyfan.

Yn ystod ei gyfnod yn Llundain, mynychai John Gwilym Jones y theatr mor gyson ag y gallai. Yn ôl ei dystiolaeth ef ei hun yn ei hunangofiant *Ar Draws ac ar Hyd*, bu'r profiad o weld dramâu'r meistri yn agoriad llygad iddo, ac yn sylfaen i'w ymroddiad ef pan

14

ddechreuodd ysgrifennu dramâu. Mae'n gwneud sylw diddorol iawn:

> ymhen amser daeth y teimlad bod Chekhov, i mi, yn well ddramodydd nag Ibsen. Dibynnai Ibsen ar wrthdaro cythryblus amlwg ddramatig, ond Chekhov ar hyntoedd ymddangosiadol syrffedus byw bob dydd, ond medru eu gweddnewid yn ingoedd, nid i'w hystyried yn drasig ond yn hytrach yn brofiadau anorfod o'r hyn oedd iddo ef yn gomedi bywyd.

Gwelwn ddylanwad y profiad cynnar hwn ar ei ddramâu, gan gynnwys ei ddramâu byrion. Rwy'n cyfeirio at hyn oherwydd ei bod yn bwysig tu hwnt i unrhyw ddarpar ddramodydd fynd yn gyson i'r theatr i weld perfformiadau, er mwyn synhwyro natur a chrefft dramâu o safon.

Ni ellid cynnig canllawiau gwell i awduron, wrth iddynt geisio dechrau ar y gwaith dyrys o lunio drama, nag araith gyntaf y Dyn yn *Y Fainc*, comedi fer gan Wil Sam:

> DYN: Deunydd. Rydw i'n hesb, sych grimp. Gwair rhaffa. Mi wna' i beth o beth, wna' i ddim o ddim. Rydw i bron â drysu. Mi es i at Doctor.
>
> 'Does un dim yn matar, an'ti, ges i.
>
> 'Mae gin i isio sgwennu,' me' fi.
>
> 'Os oes gin ti rwbath i ddeud, mi rwy' ti siŵr o'i ddeud o.' Dyna i chi ganibal.
>
> Mae rhaid i sgwennwr sgwennu p'run sgynno fo rwbath i ddeud ai peidio.
>
> 'Chwilia am ddeunydd,' me' Doctor. 'Dos i grwydro am wsnos ne' ddwy, a tyrd i 'ngweld i wedyn.'
>
> Rydw i wedi crwydro, rydw i wedi troi môr a mynydd. Tir ac awyr.
>
> Beth sydd i mi yn yr awyr? Beth sydd i mi yn y byd? Mi 'rhosa i yn fa'ma am sbel.

Yn yr erthygl 'Dwy ochr y geiniog – portread o Meic Povey', gan Iwan England yn y cylchgrawn *Golwg* (28 Awst 1998), dyma oedd gan Meic Povey i'w ddweud am fod yn ddramodydd:

> Roedd o ynddo i erioed. Roeddwn i'n sgwennu barddoniaeth yn ifanc ac yn fuan wedyn daeth diddordeb i sgwennu i'r llwyfan. Mae wedi cymryd blynyddoedd, dw i wedi sgwennu llwyth o rwtsh yn y gorffennol, ac yn y deng mlynedd diwetha' yr ydw i wedi sgwennu fy stwff da. Dydw i ddim yn sgwennwr nac yn berson academig. Dw i'n sgwennwr emosiynol, nid meddwl yn glinigol ydw i, sbarc emosiynol sy'n sbarduno'r gwaith bob tro. Dw i'n sgwennu i blesio fy hun, gan fod yn ymwybodol o'r angen i ddiddanu.

Dyma rai sylwadau y byddwn yn eu trafod ymhellach ymlaen yn y gyfrol hon, yn enwedig y sylwadau ar yr awydd i ysgrifennu, natur emosiwn wrth drin gwaith dramatig, a'r angen i ddiddanu wrth greu drama.

Mae profiad John Gwilym Jones, wrth iddo olrhain ei awydd i ysgrifennu ar gyfer y theatr, yn un dilys. Meddai mewn cyfweliad ar raglen *Ffresgo*, Radio Cymru:

> Mi fuo fi'n dysgu yn Llundain am rai blynyddoedd yn syth o'r coleg, a roeddwn i'n gwario fy arian i gyd ar fynd i'r theatrau yno. Roeddwn i'n cael pleser dychrynllyd o wrando ar ddramâu. Roedd gen i'r awydd hwnnw, wel mi fyswn i'n hoffi ysgrifennu rhywbeth felna rywbryd felly.

Wrth ddechrau ysgrifennu, mae gennym ni gynfas gwag – ond o'r dechrau rhaid i ddramodwyr ddeall eu bod yn ysgrifennu ar gyfer y theatr, ac ar gyfer cynulleidfa yn y theatr. Rhaid iddynt hefyd sylweddoli mai dim ond rhoi cychwyn i daith y ddrama fydd eu gorchwyl hwy. Yn nwylo'r actorion a'r cyfarwyddwr y daw bywyd i'r sgript – a'r sgiliau ganddynt i ddehongli a throsglwyddo'r ddrama i'r gynulleidfa.

Cyn dechrau bydd angen i'r dramodwyr feddwl yn ddwys ynglŷn â'u dyletswydd wrth ysgrifennu – adlonni neu fodloni, diddori neu addysgu, neu gyfuniad o'r rhain drwy'r gwaith dramatig. Mae'n bwysig o'r dechrau cyntaf eu bod yn gweld y cymeriadau'n symud, a'u clywed yn siarad, yn amgyffred eu poen a'u llawenydd, eu syndod a'u grym, eu hatgasedd a'u cywreinrwydd.

Mae beirniaid drama yr Eisteddfod Genedlaethol yn cynghori darpar ddramodwyr byth a hefyd i gael profiad o ddarllen dramâu o bob math a gweld dramâu ar waith ar lwyfannau theatr. Cyngor Manon Eames a William Owen yn eu beirniadaeth yng nghystadleuaeth y ddrama fer yn Eisteddfod Genedlaethol Môn, 1999, yw i'r:

> awduron fynd i ddysgu hanfodion gwaelodol y grefft ... drwy fynd i weld dramâu o bob math yn y theatr, drwy wylio dramâu ar deledu a thrwy ddarllen dramâu drosodd a throsodd. Felly yn unig y ceir amgenach amgyffrediad o'r hyn sydd ei angen a'r modd y mae saernïo gwaith o wir werth.

Dylai awduron sydd am ymhél ag ysgrifennu dramâu byrion chwilio am gyfrolau'n cynnwys gwaith meistri ar y ffurf hon megis Pirandello, Chekhov, Wilder, Yeats, Lorca, Strindberg a Tennessee Williams, Brecht a Beckett, ymhlith eraill.

Y peth pwysig i'w gofio yw bod drama, boed fer neu hir, yn gyfansoddiad cymhleth tu hwnt, nid yn unig yn gyfuniad o stori a phlot, ond yn wead o gymeriadau sydd yn siarad, yn dadlau ac yn gwrthdaro â'i gilydd. Mae'n ddarn o gelfyddyd sydd â strwythur dramatig, gyda dechrau, datblygiad a diweddglo, yn gymlethdod o deimladau ac o feddyliau, ac yn bennaf, efallai, yn ddeunydd crai ar gyfer actorion, cyfarwyddwyr a thechnegwyr theatr. Mae'n hollbwysig fod y darpar ddramodydd yn deall goblygiadau hyn cyn mentro rhoi pin ar bapur.

Mae John Gwilym Jones yn ei gyfrol *Ar Draws ac ar Hyd* yn cyfeirio at bwrpas deuol drama, sylw gwerth ei gofio wrth fynd ati i ysgrifennu gwaith ar gyfer y theatr:

> Dylai drama o unrhyw werth ddiddanu ac addysgu. Nid addysgu yn yr ystyr bod rhywun yn gwybod mwy ar ôl ei gweld ond yn hytrach ei bod wedi cyfoethogi iaith bob dydd a'i bod mewn rhyw ffordd neu'i gilydd wedi medru ymdrin â phrofiadau o bwys mewn bywyd.

Pobl a sefyllfaoedd, deialog rhwng unigolion, gwrthdaro ac argyfwng yw'r offer sydd yn eich meddiant fel dramodydd. Gyda chyfrwng y ddrama fer gallwch ganolbwyntio eich ymdriniaeth, cyfyngu eich gorwelion, anelu neges eich gweledigaeth yn syth at eich cynulleidfa yn y theatr, o fewn rhyw hanner awr. Rhaid i chi boblogi eich drama â phobl tri dimensiwn sy'n anadlu, yn bwyta, ac yn cysgu 'run fath ag y bydd eich cynulleidfa. Gellir creu cymeriad sy'n ennyn cydymdeimlad y gynulleidfa am ei fod yn ysglyfaeth i'r system. Ond wrth ei wneud yn ysglyfaeth i bwerau mawr allanol, nid yw'n apelio at gynulleidfa yn unig am ei fod yn berson tri dimensiwn. Os yw'n unigolyn sydd am wynebu'r pwerau dinistriol heb fod ganddo apêl cyffredinol, nid yw'r gynulleidfa yn mynd i uniaethu ag ef. Ond os oes ganddo reswm, er enghraifft bod y system wedi achosi marwolaeth ei dad, yna mae ei apêl yn gyffredinol am fod ei gymhellion yn rhai dilys ac yn gymhellion y gall y gynulleidfa gydymdeimlo â hwy. O ganlyniad, mae gennym ddrama sy'n rhoi ystyr dyfnach i orchwyl a nod y cymeriad.

I bwy mae'r dramodydd yn ysgrifennu? Nid yw'n gwybod pwy fydd ei gynulleidfa. Nid yw'n eu hadnabod fel unigolion. Mae un dramodydd wedi awgrymu mai ato ef ei hun mewn cynulleidfa ddychmygol y mae'n anelu ei ddrama. Hynny yw, mae'n dychmygu ei fod yn ysgrifennu ar gyfer llond ystafell o bobl eraill sy'n ei gynrychioli ef ei hun. Ond er bod ysgrifennu drama yn orchwyl preifat, rhaid ei hanelu at lwyfan lle bydd actorion, ac at y theatr lle bydd cynulleidfa.

Yr oedd R. G. Berry yn ysgrifennu ei ddramâu byrion ar ddechrau'r ganrif ddiwethaf ar gyfer actorion a chynulleidfa yr oedd yn eu hadnabod yn ei filltir sgwâr ac yn ei gapel. Yn yr un modd, cyfaddefa Wil Sam yn ei gyfweliad gyda Myrddin ap Dafydd yn y gyfrol *Deg Drama Wil Sam* ei fod yn ysgrifennu ei ddramâu byrion ar gyfer actorion theatr y Gegin, Cricieth, ac ar gyfer cynulleidfa oedd yn hysbys iddo.

Un peth i'w gofio yw bod cynulleidfa wrth ei bodd yn gweld rhywbeth newydd a gwahanol, rhyw set o gymeriadau a sefyllfa sy'n anghyfarwydd iddi. Os yw'r gynulleidfa'n teimlo wrth wylio drama fod hyn yn *déjà vu*, yna mae'n sicr y bydd yn syrffedu'n gyflym ar natur ac ansawdd y gwaith.

DAWN DWEUD STORI

Mae stori'n hanfodol i ddrama. Nid sôn am y plot rydym ni yma – byddwn yn trin hwnnw'n fanylach yn nes ymlaen. Ond lle i ddweud storïau yw'r theatr. Ac mae cynulleidfa bob amser yn hoff o stori dda. Wrth gwrs, rhan yn unig o'r stori a welwn ar y llwyfan. Mae stori drama wedi dechrau cyn i'r cymeriadau ddechrau symud a llefaru a gwrthdaro ar lwyfan, a bydd y stori honno'n parhau wedi i'r golau ddiffodd neu i'r llen ddisgyn ar derfyn y plot.

Mae drama fer yn galw am ddawn dweud stori a llunio deialog gynnil, a hynny'n ddramatig, yn ogystal â dawn i ddifyrru. Mae Dafydd Fôn Williams yn ei feirniadaeth ar y ddrama fer yn Eisteddfod Genedlaethol Bro Colwyn, 1995, yn crynhoi'r hanfod-ion fel hyn:

> Yn gyntaf, mae'n rhaid wrth stori sy'n cadw'r sylw, ac mae'n rhaid i'r stori honno ddechrau, datblygu, a gorffen o fewn cyfwng y ddrama.

Efallai y ceir peth cymysgu termau yn y fan yma. Byddwn yn edrych ar y gwahaniaeth rhwng stori a phlot drama fer yn y man. Rwy' n tybio mai tynnu sylw at y plot a wna Dafydd Fôn Williams yn y fan yma, sef y darn o'r stori a welir o fewn cwmpas y ddrama fel yr ymddengys ar lwyfan.

Er enghraifft, mae stori'r ddrama fer *Marchogion y Môr* gan J. M. Synge eisoes wedi dechrau pan gafodd Michael ei foddi ar lannau Connemara. Datgelir, wrth i'r ddrama fynd yn ei blaen bod Moira, mam y teulu, eisoes wedi colli pob un ond un o'i meibion i drachwant y môr. Mae'r plot fwy neu lai yn ymdrin â digwyddiadau sy'n dilyn rhes o drychinebau, ac fel sy'n nodweddiadol o drasiedi yn canolbwyntio ar ddiwedd cyfnod o dristwch a dioddef. Yr hyn sy'n arbennig iawn yng nghyfansoddiad y ddrama fer hon yw bod y stori ragarweiniol, y digwyddiad terfynol a'r dioddef enbyd, yn cael eu cywasgu'n gelfydd i ffiniau strwythur y plot fel yr ymddengys ar lwyfan. Bu trychinebau ar y môr, a bydd trasiedïau pellach wedi i'r ddrama orffen. Dyna oedd gorffennol a dyna fydd dyfodol y bobl hyn sy'n dibynnu ar y môr am eu bywoliaeth. Stori dioddefaint pobl forwrol yw'r pictiwr mawr, fel petai. Canolbwyntio ar ddigwyddiad neilltuol i bortreadu hynny yw nod Synge yn y drasiedi fer hon.

GORCHWYL CYDWEITHREDOL

Er bod ysgrifennu drama fer yn rhagdybio perfformiad ar lwyfan, eto i gyd, fel y nofelydd, y bardd a'r storïwr, mae'r dramodydd yn unigolyn sy'n creu ei waith o'i brofiad a'i wybodaeth, ei ymchwil a'i deimladau ef ei hun. Yn wahanol i'r nofelydd neu'r storïwr, mae'r dramodydd yn gweu arwyddion perfformiadol i'w waith. Yn y man, bydd y sgript yn gadael dwylo'r dramodydd ac yn cael ei chyflwyno i ddwylo arbenigwyr y theatr. Gellir dweud o ganlyniad fod llunio drama yn orchwyl cydweithredol.

Y sialens wrth ysgrifennu drama yw bod angen i'r dramodydd wybod am ofynion y theatr, a bod yn ymwybodol o'r ffaith y bydd ei waith yn cael ei ddehongli gan gyfarwyddwr ac actorion. Bydd yn rhaid iddo geisio gosod arwyddion tri dimensiwn i'w gymeriadau, a bydd angen eu gweld nhw'n symud a'u clywed yn llefaru'r ddeialog ar lwyfan ei feddwl ef ei hun. Dyna pam mae ysgrifennu drama yn orchwyl mor gymhleth. Mae rhoi'r posibilrwydd o fywyd i'w gymeriadau yn hollbwysig wrth gynllunio'u tynged ar lwyfan y theatr. Hynny yw, trwy grefft a chynildeb deialog bydd angen gweu'r posibilrwydd o fywyd tri dimensiwn i gymeriadau pan fydd actorion a chyfarwyddwr yn chwistrellu bywyd iddynt.

Ystyriwch eiriau Alji, yn y ddrama fer *Wal* gan Aled Jones Williams, pan mae'n trafod beth 'sy'n digwydd rhwng geni a marw'. Mae'r iaith yn tyfu'n rymus o'r cymeriad, yn fyw ac yn glywadwy wrth ei darllen:

ALJI: Amball dro mae o'n digwydd.
          Unwaith yn y pedwar amsar.
          Ti 'di blino yn uffernol.
          Ac yna'n sydyn mae 'na ryw ddeffro mawr
          Yn digwydd ynoch chdi.
          Ma' dy du mewn di'n eirias ola.
          A ti'n cwarfod â dy fodolaeth di dy hun.
          W't ti'n medru gafal yn y gair.
          'Fi'.
          'I dwtsiad o.
          'Fela fo.
          Am chwinciad o eiliad.
          A wedyn mae o'n diflannu.
          W't ti 'di ca'l y profiad uffernol yna?
          Chdi yn sbio ar chdi yn stafall wag dy galon …

A dyna Twm ar y ffôn gyda'i wraig Ceinwen yn y ddrama fer *Tri Chyfaill* gan John Gwilym Jones. Mae amseru'r ddeialog yn y sgript yn awgrymu bod Twm yn siarad â rhywun go iawn y pen arall i'r ffôn er ein bod ni'r gynulleidfa yn derbyn mai dychymyg theatrig yw hyn. Mae'r ddeialog yn chwistrellu bywyd i Twm wrth iddo golli ei dymer ac yna ymateb yn emosiynol i grio ei wraig.

TWM: (*Ar y ffôn*) Be ddeud'ist ti? ... Pwy? ... Mair Lloyd? ... (*Gwylltio o ddifri*) Be' gythra'l mae honno isio yna? 'Rwyt ti'n gw'bod o'r gora' na fedra i ddim diodda'r diawl ... Munud y cest ti fy nghefn i, dechra ar dy gampia' di, ynte? Naddo! ... Naddo, wnest ti ddim ... Son'ist ti'r un gair wrtha' i ei bod hi'n bwriadu dŵad ... dyma'r munud cynta' i mi gl'wad sôn. Hei, hei ... Cein bach, 'does dim isio crio ... dim angen iti grio ... dim isio iti o gwbwl ... 'Dydw i ddim o 'ngho, mewn gwirionedd ... paid â chrio ...

Mae'r grefft hon, y modd o chwistrellu bywyd i gymeriad, yn tyfu gyda'r profiad o ysgrifennu deialog, trwy ddarllen nifer fawr o ddramâu'r meistri a thrwy weld dramâu yn fyw yn y theatr. Bydd meistrolaeth ar weld a symud a chlywed cymeriadau'n ymrafael ac yn gwrthdaro â'i gilydd ar lwyfan y meddwl yn hanfodol i ddramodydd sydd am i'w waith ddatblygu'n theatr rymus. Mae'r dasg felly yn dra gwahanol i broses greu y bardd, y storïwr neu'r nofelydd. Mewn ffordd mae'n debycach i orchwyl creadigol y cerddor.

Wrth ei grefft mae'r dramodydd yn creu ei gymeriadau, yn eu gosod o fewn cefndir penodol mewn cyd-destun, yn gweld eu cyfarfod a'u gwrthdaro, yn eu trin o fewn strwythur amser (sef cyfyngiadau'r y ddrama fer yn y cyswllt hwn), yn rhoi iddynt ddeialog, yn gosod y cyfan yn nhermau gofynion theatr, a rhag-dybio y bydd ei sgript yn disgyn i ddwylo cyfarwyddwr ac actorion.

Thema'r gomedi fer *Dinas Barhaus* gan Wil Sam yw'r awydd am sicrwydd mewn bywyd, awydd am rywle parhaol. Dyma'r olygfa ar ddechrau'r ddrama, golygfa sy'n ein denu'n syth at elfen gomig y chwarae ac sy'n chwythu bywyd i'r ddau gymeriad trwy ansawdd y ddeialog fywiog, ogleisiol:

GOLYGFA: *Cwt barbwr gweddol flêr. Mae Dai yn eistedd a Henri yn glanhau offer.*

DAI: Dinas barhaus, Henri.

HENRI: Pwy?

DAI: Be.

HENRI: Pwy ydi honno lad?

DAI: Dinas nid dynas.

HENRI: O. Wyt ti'n cofio dynas Dinas Mawddwy?

DAI: Taw, rwyt ti'n 'nrysu i. Dinas barhaus, cartra barhaus, cartra, cartra sefydlog sgin i isio. Rydw i'n byw mewn ofn yli ...
          (Edrych tua'r drws)

HENRI: Mae pawb yn byw mewn ofn lad. Dyna fo fi i ti ...

DAI: Be oedd Walter Rali?

HENRI: Hwnna'n hawdd lad, beic *bach* wedi gwthio'i ffordd i'r top.

DAI: *(Yn gorwedd ar ei fol ar soffa gan gicio'i draed)*
          O ... O.

HENRI: Run fath â ni, lad. Tasat ti yn rhoi gora i'r sterics 'na, ac yn gwrando arna' i, mi fasan ninna yn cyrradd y top yli.

DAI: Glasgo ...

HENRI: By.

DAI: Caer?

HENRI: Bw.

DAI: Bwlchtocyn.

HENRI: Ba.

DAI: Ia, ia, ia gwylltio rŵan, troi fel sliwan. 'Nei di ddim wynebu ffeithia Henri. Mae gin i isio dinas barhaus ...

HENRI: Hen siarad Beibil gwirion ...

DAI: Cartra sefydlog, mae gin i isio deffro'n bora, a theimlo bod gin i gartra i mi a chdi ...

HENRI: I mi a chdi wyt ti'n feddwl?

DAI: Dyna ddeudis i 'te?

Mae ysgrifennu cynnil y ddeialog hon yn peri i'r cymeriadau 'ecsentrig', trwy eu hymddygiad, eu gwrthdaro a'u gweithred-oedd, dyfu o'r dudalen. Y mae hefyd yn rhoi bywyd iddynt ar lwyfan y meddwl, a'r un pryd yn rhoi blas ar natur y ddrama, ar ei hynodrwydd comedïol. Mae'n sicr, wrth i'r dramodydd lunio'r cymeriadau hyn a llunio deialog gynhyrfus iddynt, iddo rag-weld y byddent yn tyfu'n 'fyw' ar lwyfan theatr. Yr un pryd, wrth wrando ar actorion yn ymarfer sgript ei ddrama, gall dramodydd aildrefnu, bywiocáu a miniogi deialog ei gymeriadau er mwyn sicrhau ei heffaith mewn perfformiad.

STRWYTHUR DRAMA FER

Nid oes cyfle mewn drama fer i ymbalfalu yn y stori nac i wyntyllu manylion diangen ei chynnwys. Rhaid canolbwyntio ar ddigwyddiad, achlysur, sefyllfa, lleoliad cymeriadau, gan gyn-llunio'n ddisgybledig o fewn gofynion y plot. Rhaid i'r strwythur ystyried dechrau, canol a diwedd, er mwyn cynnal diddordeb a sylw cynulleidfa trwy gydol y chwarae. Rhaid bod yna ddatblyg-iad sy'n llifo'n ystyrlon a grymus o safbwynt cymeriadaeth, gwrthdaro, creisis ac uchafbwynt.

Fel y dywed D. Matthew Williams yn ei feirniadaeth ar y ddrama un act yn Eisteddfod Genedlaethol Llandybïe, 1944:

> Rhaid cael gwead clòs mewn drama un-act, ac nid oes ynddi le i frawddeg na digwyddiad dianghenraid. Ychydig o le ar y gorau sydd gan awdur i gyfleu ei gymeriadau, i amlinellu ei thema ac i beri i'r ddrama ddatblygu'n naturiol o digwyddiad i ddigwydd-iad. Er gwneuthur hyn oll yn foddhaol o fewn terfynau drama un-act, nid oes le i bethau dianghenraid.

Cymerwn, fel enghraifft, y ddrama fer *Tri Chyfaill* gan John Gwilym Jones. Mae'r tri chymeriad, y golffwyr Dan, Twm ac Em, yn hen gyfeillion, yn disgwyl i'r glaw orffen er mwyn mwyn-hau diwrnod ar y lincs. Ond mae'r glaw yn eu gwahardd rhag gwneud hynny. Felly cawn y tri yn cecran, yn gwrthdaro, yn twyllo ac yn dirmygu ei gilydd.

Mae Dan, yr hen lanc, yn cael affêr gyda Ceinwen, gwraig Twm. Mae Twm yn cael affêr gyda Sali, gwraig Em. Clymir strwythur y ddrama hon, rhwng ei dechrau a'i diwedd, gan alwad ffôn gyfrinachol Dan i Ceinwen ar y dechrau, er mwyn iddi, ar derfyn y ddrama, ei ffonio ef i drefnu i'r ddau gyfarfod. Ar ddechrau'r ddrama, medd Dan ar y ffôn wrth Ceinwen:

DAN: Galw fi ar y ffôn ymhen rhyw hanner awr go dda ... fydd
       dim gofyn i ti ddeud gair o'th ben, mi wna i'r siarad i gyd
       ... cymryd arnaf siarad efo Mam ... Dallt?

Mae Dan yn gwybod y bydd y deleffonyddes Gymraeg yn y gwesty yn amau natur y cynllwyn, a dyna'r rheswm dros y 'siarad efo Mam'. Ar derfyn y ddrama mae Dan yn ateb galwad gyfrinachol Ceinwen. Mae Em gerllaw yn sylweddoli'r hyn mae Dan yn ei gynllunio.

DAN: (*ar y ffôn*) Helô ... Helô ... Dan sy'n siarad ... O, helô, chi
       sy' 'na, Mam. Popeth yn iawn gobeithio ... Wela i mo'noch
       chi felly tan nos yfory ...

A dyna grynhoi'r strwythur yn gelfydd ar derfyn y chwarae, heblaw bod yna ergyd ychwanegol, wrth i Em ddeall natur y twyll, gan ddweud:

EM: (*dim ond yn ei ddweud*) Dan, Dan ...
DAN: Wel?
EM: 'Does gen ti ddim cywilydd?
DAN: (*syml, didwyll*) Oes.
EM: (*saib*) Wel, mae hynny'n rhywbeth.
DAN: Ydi, on'd ydi?
EM: Ond, rhwng ffrindia, mae'n rhaid cau ceg, yn rhaid.
DAN: Rhaid. Em bach ... Rhwng ffrindia mae'n rhaid cau ceg.

Mae'r ergyd yn ddwbwl yn y ddeialog fach gwta hon ar derfyn y chwarae, oherwydd fe wyddom eisoes, ni'r gynulleidfa, fod Twm yn cael affêr gyda Sali, gwraig Em. Mae'r eironi ar ddwy lefel yma ac yn y ddrama drwyddi draw, sef bod cymeriadau yn sylweddoli beth sy'n digwydd islaw'r plot, a ninnau fel cynulleidfa yn dystion i'r un eironi.

Mewn drama hir mae gan yr awdur yr amser a'r cyfle i ddatblygu plot ac i weu is-blot i strwythur y digwydd, gan ychwanegu cymhlethdodau i sefyllfaoedd pan fo'r angen. Nid oes lle i'r fath ddatblygiad cymhleth mewn drama fer, er gall fod yna wrthdaro rhwng pwerau a'i gilydd sy'n cyrraedd uchafbwynt dramatig a diweddglo.

Nid oes angen eglurhad neu draethu esboniad ar ddechrau drama fer. Mewn drama fer rhaid plymio i mewn i'r sefyllfa a'r digwydd o'r eiliad gyntaf. Does dim amser i wamalu am gefndir y stori sy'n sylfaen i'r plot. Daw'r cyfle yn nes ymlaen yn y ddeialog os oes angen llenwi rhai ffeithiau priodol, neu angenrheidiol.

Plymio i mewn i'r sefyllfa'n syth y mae Dyn 1 yn y ddrama fer *Chwilys* gan Aled Jones Williams, gan bryfocio'r gynulleidfa â sialens glywadwy a gweladwy. Ond trwy ei eiriau cyntaf cawn ddeall nifer o ffeithiau:

> *Daw Dyn 1. i mewn ar ruthr yn cario tec-awe mewn tre polystyrene. Mae wedi ei wisgo mewn jeans, crys-T, trainers. Mae'n dechrau llewcio'r bwyd yn syth o'r tre gan eistedd yn y man wrth y bwrdd. Mae'n ffonio ar ei ffôn symudol.*

DYN 1: Ceri! Mi fydda i o leia hannar awr yn hwyr ... Buta'n sydyn ... dwi'n gwbod fod 'na fwyd! ... Byrgyr a tjips ... Newid ... Oce! Oce! ... Rho hannar awr bendith dduw ... Wel y fi ydy'r star blydi turn ... Deud be fynni di wrthyn nhw ... Car cau sdartio! Neith hynny'n iawn! ... Oce! ... dwi'n mynd reit! ... Wrth gwrs 'y mod i! ... Garu di! ... Yndw! ... Dy garu di! ... Na does na neb arall! Clwad! ... Dwi mynd!

Yn y ddrama fer *Pêl Goch* gan Aled Jones Williams, cyn i unrhyw air gael ei lefaru ar lwyfan y mae pethau pryfoclyd yn digwydd yn nhywyllwch y theatr, ac yna dan olau glas, i dynnu sylw, ac i greu diddordeb y gynulleidfa yn yr hyn sydd i ddod:

> *Y theatr gyfan mewn tywyllwch. Clywir sŵn cŵn yn udo fel yn nhrymder nos a'u cyfarthiad. Saib gweddol hir. Yna tair ergyd gwn, un ar ôl y llall yn sydyn. Yn syth ar ôl hynny clywir llais hogan fach yn llafarganu "... Ti'n ... oer! ... Ti'n oer! ... Ti'n oer!" Saib. Clywir y gerddoriaeth 'Here Come de Honey Man' – Miles Davis. Ar ôl peth amser o'r miwsig cyfyd y golau glas, myglyd ar hyd ymyl y llwyfan. Daw dyn o'r dde yn cerdded yn urddasol, syth bin, yn cerdded yn rhythmig, bwyllog mewn cot gynffon fain nad yw cweit yn ei ffitio, ei fron a'i stumog yn noeth, trowsus 'drainpipes', menig gwynion ac esgidiau du llawn sglein. Y tu ôl iddo daw gwraig sy'n feichiog, coban yn unig amdani. Y tu ôl iddi a golwg hurt braidd arno daw gŵr wedi ei wisgo mewn pyjamas streips, crys bob-dydd gwyn hefo staen coch ar hyd un ochr, a thei. Mae o'n cario siwtcês.*

Trewir y gwylwyr yn syth gan galeidosgop o wahanol ddelweddau, sy'n pryfocio'u dychymyg ac yn peri gofyn y cwestiwn – beth yw ystyr hyn oll? Beth sy'n mynd i ddigwydd? Beth yw'r cyswllt rhwng y delweddau clywadwy a'r rhai gweladwy? Nid oes cefndir, nid oes esboniad, dim ond rhagarweiniad dieiriau cwbl theatrig i'r hyn sydd i ddod. Dyma ddramodydd sydd yn torri confensiwn ac yn defnyddio elfennau crai y theatr – tywyllwch, sain, llais, golau, gwisg, symud – i gyflwyno'i sefyllfa ddramatig, yn hytrach na neidio'n syth i mewn i ddeialog lafar.

Gair am y digwyddiad ysgogol. Dyma'r eiliad yn y plot fydd yn penderfynu cyfeiriad y digwydd a datblygiad y ddrama tua'i huchafbwynt a'i diweddglo. Gall y digwyddiad ysgogol yma, sydd fel arfer yn gynnar yn y ddrama, ymddangos fel cymeriad annisgwyl, rhyw eiliad annisgwyl, neu ryw newid sydyn yng nghyfeiriad y plot. Gall y digwyddiad ysgogol daro cymeriadau oddi ar eu trywydd. Beth bynnag neu pwy bynnag ydyw, mae'n effeithio ar y sefyllfa ac yn ei droi i gyfeiriad newydd. Gall brwydr fewnol prif gymeriad, hynny yw ei frwydr ag ef neu hi ei hun, achosi'r digwyddiad ysgogol yma. Bydd angen i'r prif gymeriad benderfynu delio â'r argyfwng mae wedi ei achosi. Gall hyn arwain at bwynt o greisis yn y ddrama.

Heb ysgogiad yn gynnar yn y digwydd, gallai'r ddrama fynd ar gyfeiliorn a cholli ei grym i dyfu'n ddramatig. Y cwestiwn mawr yw – 'Be sy'n digwydd os ...?' Mae hyn yn rhan o bob stori dda. Dyma'r foment pan fydd pob dim yn newid un ffordd neu'r llall. Bydd yr ateb i'r digwyddiad ysgogol, yr ateb i'r cwestiwn 'Be sy'n digwydd os ...?' yn arwain at greisis y ddrama. Bydd y penderfyniad a wneir, sy'n achosi'r creisis, yn arwain at uchaf-bwynt y ddrama a'i diweddglo. Bydd y cyfan yn deillio, felly, o'r digwyddiad ysgogol gwreiddiol.

Yn *Dinas Barhaus* gan Wil Sam, daw Henri a Dai o hyd i hen gwt a allasai yn eu tyb hwy fod yn gartre parhaol iddynt. Sgwrs-iant am eu hatgofion a'u dyheadau hyd nes i'r Dyn ddod i mewn. Y Dyn yw perchennog y cwt. Wedi iddo ymddangos mae trywydd y digwydd a'r ddeialog yn newid, ac mae'r cymeriad newydd yma'n gatalydd ac yn ysbardun i'r ddrama symud i gyfeiriad arall. Ar ddechrau *Miss Julie*, ar Noswyl Ifan, mae Jean y gwas, a Kristin y gogyddes yn trafod ymddygiad gwirion Miss Julie, merch perchennog y plasty, y noson honno. Yn sydyn, mae Miss Julie ei hun yn ymddangos, hithau'n gatalydd ac yn ysbardun i wthio'r digwydd i lefel ddramatig rymusach.

Ar ddechrau'r ddrama fer *Poen yn y Bol* gan Gwenlyn Parry, wrth i staff meddygol yr ysbyty grynhoi o gwmpas bwrdd y llawdriniaeth ac i Bili Puw dderbyn ei chwistrelliad o glorofform, mae'r sefyllfa'n newid i gyfeiriad mwy dramatig. Mae'r meddyg yn pigo braich y claf ac medd Bili Puw: 'Un ... dau ... t-tri ...' A dyna'r clorofform yn cael ei effaith fel catalydd ac ysbardun i gyfeirio'r chwarae i fyd breuddwydion y claf, lle bydd ieuenctid lliwgar a chyffrous Bili Puw y Claf yn llenwi'r llwyfan mewn caleidosgop o brofiadau.

Erbyn diwedd drama fer datgelir yr allwedd i holl ddigwydd y plot. Er enghraifft, yn *Y Ddraenen Fach* gan yr un dramodydd, drama oedd yn gyd-fuddugol yn Eisteddfod Genedlaethol Dyffryn Maelor, 1961, mae pedwar milwr mewn adfail wedi eu dal gan y gelyn. Argyfwng y ddrama yw eu bod yn methu symud o'r fan. Eu nod yw ceisio dianc. Y rhwystr yw'r gelyn sy'n eu bygwth gerllaw. Daw'r ysbardun i'w rhyddhau yn hwyr yn y ddrama ar ôl iddynt sylweddoli eu bod nhw ar drothwy'r Nadolig a bod un ohonynt yn cofio achlysur yn ystod y Rhyfel Byd Cyntaf pan roddodd y ddwy ochr eu harfau i lawr a chwarae ffwtbol yn y tir diffaith rhwng y ffosydd.

Daw uchafbwynt y ddrama pan ymddengys milwr Almaenig wrth ddrws yr adfail. Yna daw'r diweddglo wrth i'r Almaenwr fynd i'w boced, ond cyn iddo dynnu ei law allan saethir ef yn farw gan y milwyr. Mae'r pedwar milwr yn darganfod mai nodyn yn crefu am gadoediad dros y Nadolig sydd gan yr Almaenwr yn ei boced, ac nid y gwn y tybient oedd ganddo. Dyma'r diweddglo:

> (*Disgyn yr Almaenwr yn sypyn i'r llawr ac fe welir ei fod wedi llwyddo i dynnu darn o bapur allan o'i boced. Tra mae pawb arall yn edrych fel pe baent wedi eu parlysu, cerdda Williams yn araf at yr Almaenwr a chymryd y papur o'i law.*)

GREEN: (*wedi sylweddoli ffolineb ei weithred erbyn hyn*)
            Beth ... Beth ddywedodd o gynne'?
WILLIAMS: (*tan edrych ar y darn papur*)
            Dim byd ond dweud 'Nadolig Llawen' yn 'i iaith 'i hunan (*yn dangos y papur*) a dyma i ti be' oedd o'n geisio'i dynnu o'i boced.
LEWIS: Be' ydi o?
WILLIAMS: Nodyn yn gofyn i ni ymuno gyda nhw dros y ffordd 'na i ddathlu'r Nadolig.
            (*Disgyn y llen yn araf gyda phob un yn edrych ar y corff marw ar y llawr*)

Nid oes angen i bob drama fer orffen ar nodyn mor felodramatig
â hynny, ond yn y cyswllt hwn mae'r hyn a ddatgelir ar bapur yr
Almaenwr yn ychwanegu at eironi'r sefyllfa ryfelgar.

Y MEDDWL

Mae drama yn magu ystyron. Mae awdur yn chwistrellu ystyr i
ddrama wrth iddi dyfu'n gyfanwaith o ris i ris. Trwy sefyllfaoedd
a thrwy gymeriadau mae drama yn gyfrwng i greu dewisiadau ac
i ddatrys problemau. Mae'r holl syniadau a'r dadleuon a gyf-
lwynir neu a awgrymir mewn drama yn ddeunydd ar gyfer
llunio'r strwythur dramatig, hynny yw, y plot. Pryd bynnag y
bydd cymeriad yn meddwl, gellir dweud mai gweithred yw; mae
cyfres o weithrediadau llai yn datblygu'n weithred fwy. Bydd y
dramodydd yn chwistrellu syniadau i mewn i gyfansoddiad cymer-
iad, a dyna sylfaen bywyd a gweithred, emosiwn ac ymddygiad y
cymeriad yn y sefyllfa ddramatig.

Ar y llaw arall, nid i wrando ar lais uniongyrchol y dramodydd
yn llefaru'n uniongyrchol trwy'r cymeriadau y daw'r gynulleidfa
i'r theatr, ond i wrando ar leisiau amrywiol y cymeriadau hynny
yn llefaru yn eu sefyllfaoedd a'u hamgylchiadau hynod yn
natblygiad y digwydd.

Dyna yw'r allwedd i grefft y dramodydd, sef ei fod yn medru
creu meddwl a dychymyg, gweithredoedd ac emosiwn unigryw
i bob un o'i gymeriadau. Fel y dywedodd Elsbeth Evans yn ei
beirniadaeth ar y ddrama un act yn Eisteddfod Genedlaethol
Bangor, 1943:

> Prif hanfod celfyddyd y dramodydd yw creu amgylchiadau
> a chymeriadau credadwy, fel y bo pob gweithred a lwyfannir a
> phob syniad a leferir yn ymddangos yn naturiol ac yn anhepgor.
> Os stwffir y cymeriadau yn drwsgl ac yn aflêr â syniadau personol
> yr awdur, bydd cred y gynulleidfa ynddynt wedi ei chwalu am
> byth.

Y gair hanfodol yn y gosodiad hwn yw'r gair 'creu'. Creu, nid copïo'n slafaidd realiti bywyd fel y mae, yw crefft y dramodydd. Dychmygu'r holl broses o lunio cymeriadau a'u hamgylchiadau, ac yna gosod y deunydd hwnnw i mewn i strwythur stori a phlot fel yr ymddengys yn real, dyna yw'r allwedd i'r grefft. Fel y crybwyllodd John Gwilym Jones: 'Dyna yw dychymyg, medru defnyddio dyfeisgarwch i ddweud beth bynnag sy'n argyhoeddiad i chi.' Nid hawdd yw llunio cymeriadau ar gyfer drama fel y bydd pob un yn berson unigryw, yn berson sydd â meddwl, argyhoeddiadau, rhagfarnau ac emosiynau.

Dyma enghraifft yn *Dinas Barhaus*, o ddramodydd wrthi'n creu dau gymeriad sydd byth a hefyd yn dadlau â'i gilydd, y ddau â syniadau personol tra gwahanol i'w gilydd am yr hyn a ddisgwylir ganddynt. Dai y paentiwr a Henri y dyn busnes sydd wrthi'n dadlau â'i gilydd ac yn beio'i gilydd am eu cyflwr presennol mewn bywyd. Mae'r ddau'n gwrthdaro'n ddi-baid, a thrwy hynny yn tyfu'n unigolion unigryw yn y sefyllfa a'r amgylchiadau dramatig:

DAI: Mae gin ti atab i bawb a phob peth, rwyt ti'n glyfar 'twyt?

HENRI: Ydw lad, taswn i wedi cael chwara teg …

DAI: Rwyt ti'n cael gneud fel fynnot ti, dydw i'n rhwstro dim arnat ti, ydw i? Ydw i? Ydw i'n boen an'ti?

HENRI: Rydw i'n dy gynnal di, rydw i'n dy gadw di lad.

DAI: Wyt, rwyt ti 'nghadw i rhag pob peth gwerth 'i gael. Mi fasa gin i gartra ers talwm 'bai amdanat ti …

HENRI: Wyt ti'n meddwl deud …

DAI: Ydw. Basa, mi fasa gin i dŷ i mi fy hun, a stiwdio, lle i beintio …

HENRI: Mi wyddost be i 'neud …

DAI: 'Lle hynny, rydw i'n byw fel tramp, fa'ma heddiw, fan'cw fory, a pam, pam? Am na wnei di ddim sticio. Glasgo, Caer. Rosi di yn un man hwy na thair wsnos ar dro. Dyma fo i ti, rydw i'n gweithio ar yr un llun ers hannar blwyddyn.

HENRI: Rwyt ti fel malwan lad …

DAI: Mae hi'n amsar i mi godi 'mhac, mae hi'n amsar i mi gadw 'mhetha cyn 'mod i wedi hagor nhw.
(*Dangos brws paent*)
Yli mrwsus i, yli hwn, brws gwerth naw a chwech, dyma fo i ti yn galad fel asgwrn blac, pam, medda chdi?
HENRI: Tyrps, lad. Isio ti olchi dy frwsus sy' ...

Er bod y ddau'n dibynnu ar ei gilydd i gynnal eu sgwrs ac i anghytuno, mae'r ddau'n unigolion â'u syniadau pendant, eu rhagfarnau a'u safbwyntiau unigryw eu hunain.

SYNIAD A CHYNLLUN

Y mae ffynonellau dramâu byrion W. S. Jones wedi eu gwreiddio yn y straeon a gyfansoddodd ar gyfer y gymdeithas lenyddol leol yn y pentref lle magwyd ef. Cynhwysai'r straeon hyn elfennau cryf o ddeialog. Straeon i'w darllen i gynulleidfa oeddynt. Yr oedd y broses yma o gynnwys elfen gref o ddeialog yn y straeon llafar hyn yn arwain yn naturiol at rythmau a rhediad y gair llafar pan drodd Wil Sam at ysgrifennu ei ddramâu byrion cynnar.

Mae Elis Gwyn Jones, yn y rhagymadrodd i *Chwe Drama Fer* ei frawd, Wil Sam, yn cyfeirio at lythyrau'i frawd ato, gan dynnu sylw at gynnwys cyfoethog y llythyrau hynny, yn gymeriadau byw, yn ddigwyddiadau digri ac yn droeon trwstan yn y gymdeithas bentrefol, a'r cyfan wedi ei weu yn 'lenyddiaeth naturiol'. Dyma oedd sylfaen yr iaith lafar lliwgar a barddonol a fyddai'n ymddangos mor gyfoethog yn neialog ei gymeriadau.

Er mwyn darganfod ffynhonnell gynhenid i'w ddramâu ar gyfer mudiad Theatr Genedlaethol Iwerddon ar ddechrau'r ugeinfed ganrif, aeth Synge i fyw yng ngorllewin y wlad, ymhlith brodorion Connemara a Kerry. Yno cafodd gyfoeth o hanesion a straeon gwerinol ar gyfer ei ddramâu, gan gynnwys ei ddramâu byrion. Mae nifer o'r dramâu hynny wedi eu seilio ar droeon trwstan a helbulon y bywyd hwnnw. Cyfoethogodd y theatr Wyddelig o'r herwydd. Cyfieithwyd nifer o'i ddramâu byrion i'r Gymraeg rhwng y ddau Ryfel Byd. Ymddengys cyfeiriadau at ddwy ohonynt, sef *Marchogion y Môr* (a gydnabyddir fel y drasiedi un act orau a ysgrifennwyd yn hanes y theatr) a *Cysgod y Cwm*, yn y gyfrol hon.

Dechreuai John Gwilym Jones ysgrifennu ei ddramâu gyda syniad, 'gan geisio dyfeisio ffordd i gyfleu'r syniad hwnnw'. A phenderfynodd na 'fedrwch ddibynnu ar argyhoeddiadau, mai'r unig bethau dibynnol yn y pen draw yw ein teimladau un at y llall'. Mae argyhoeddiadau yn gallu newid, ond yn ei dyb ef, 'nid yw cariad yn newid ac nid yw casineb yn newid'. Yr oedd yr elfennau hyn yn dragwyddol iddo.

Straeon oedd tarddiad rhai o ddramâu byrion Gwenlyn Parry, straeon o'i ieuenctid. Tyfodd ei ddramâu byrion cynnar, *Y Ddraenen Fach* (cyd-fuddugol yn Eisteddfod Genedlaethol Dyffryn Maelor, 1961), *Hwyr a Bore* (buddugol yn Eisteddfod Genedlaethol Abertawe, 1964) a *Poen yn y Bol* (cyd-fuddugol yn Eisteddfod Genedlaethol Llandudno, 1963) o'r straeon cynnar hynny. Mae'r *Ddraenen Fach* yn adlewyrchiad o straeon ei dad yn yr Ail Ryfel Byd. Ymunodd ei dad â'r fyddin fel cogydd er nad oedd yn rhaid iddo gan ei fod yn chwarelwr ac wedi ei esgusodi.

Gall syniad darddu o bob mathau o lefydd. Gall fod yn llonydd yn y meddwl am gyfnod. Gall ymddangos yn sydyn ar ôl darllen adroddiad mewn papur newydd neu ddigwyddiad mewn nofel neu erthygl mewn cylchgrawn. Gall dyfu o sgwrs neu ddadl rhwng dau neu dri. Gall daro dyn o weld darlun neu ffotograff neu ffilm. Gall fod yn anorffenedig fel atgof neu'n gyflawn fel stori. Gall ymddangos yn sgil clywed jôc neu'r argraff a roddir gan gymeriad ecsentrig. O ble bynnag y daw, hwyrach fod ynddo gnewyllyn rhywbeth arwyddocaol ar gyfer strwythur, neu blot, neu ddigwyddiad fydd yn sylfaen i sefyllfa ddramatig. Mae Gwenlyn Parry, mewn cyfweliad ar dâp, yn cyfeirio at gymeriadau a digwyddiadau o'i orffennol a ymddangosodd yn ddiweddarach mewn golygfeydd yn ei ddramâu.

O safbwynt stori sy'n gefndir i ddrama, mae gan Meic Povey osodiad diddorol yn ei hunangofiant, *Nesa Peth i Ddim*. Meddai: 'Onid ydy'n hanfodol fod mymryn o bob stori'n deillio o brofiad personol, neu fod yr awdur o leia'n medru uniaethu â rhyw agwedd ohoni'. Medd yr un awdur, wrth roi cyngor i ddarpar ddramodwyr: 'dechrau efo'r cyfarwydd, yr hyn sydd 'gosa atoch chi'.

Yn ei gyfrol *Inc yn fy Ngwaed*, mae gan John Ellis Williams hanesyn bach sydd yn cyfeirio'n briodol at y cyfnod hwn yn natblygiad y ddrama, rhwng y syniad a'r cyfansoddi:

> 'Clywais eich bod yn ysgrifennu drama newydd,' meddai cyfaill wrth Dumas. 'Roeddwn yn ei gorffen hi neithiwr,' atebodd Dumas. 'Pa bryd y cawn weld ei pherfformio?' 'Dwn i ddim,' ebe Dumas, 'dwy' i ddim wedi dechrau ei 'sgwennu eto.'

Wrth ddod ag unrhyw fath o ddrama i sylw cynulleidfa theatr, mae'n hollbwysig fod y dramodydd yn ystyried y cyfrifoldeb sydd ar ei ysgwyddau, y cyfrifoldeb o wneud yn siŵr fod ei waith yn ystyrlon, yn gaboledig, yn grefftus ac yn effeithiol.

SYNIAD A DATBLYGIAD

Rhoddodd John Gwilym Jones gipolwg ar nodweddion cyffredinol y grefft o lunio drama fer pan oedd yn trafod ei ddrama fer *Un Briodas* mewn cyfweliad radio flynyddoedd yn ôl. Dyma a ddywedodd:

> Yr hyn roeddwn i'n neud oedd cael syniad. Roeddwn i'n treio, wedyn, 'ngorau glas i gael rhyw fath o gymeriadau ac amgylchiadau fasa yn addasu eu hunain i'r syniad yma, fel yr oeddwn i'n

disgwyl ar y diwedd i'r syniad bron fod yn bwysicach na'r bobol oedd yn ei fynegi fo. Un peth, a dydy o ddim yn beth newydd, wrth gwrs, ydy bod pobol yn methu cymdeithasu, a bod y feri ffaith bo chi'n methu deud eich meddyliau wrth rywun arall o hyd ac o hyd, y geill o ffeithio ar dipyn bach o drychinebau. Yn *Un Briodas* oedd y ddau yma'n caru ei gilydd, does 'na ddim dwywaith am hynny.

Y syniad canolog yn y ddrama honno, felly, yw'r diffyg cyfathrebu rhwng Dic a Meg. Nid y ffaith eu bod nhw'n methu gwneud yr hyn sydd yn naturiol iddynt ar noson eu priodas yw'r broblem, ond nad ydynt yn gallu dweud wrth ei gilydd pam nad ydynt yn gallu ei wneud. Dyna ddechrau trasiedi eu priodas.

Y peth diddorol yn y cyswllt hwn yw bod y dramodydd ei hun yn cyfaddef mai'r syniad ddaeth gyntaf ac nid y cymeriadau a'r digwyddiadau. O safbwynt ein trafodaeth ar y broses o greu, mae hon yn un ffordd o ddechrau llunio deunydd ar gyfer ysgrifennu'r ddrama.

Yn *Hollti Blew* gan N. F. Simpson, y syniad canolog yw obsesiynau trigolion swbwrbia wrth iddynt gystadlu â'i gilydd. Ni wyddom ai dyma a ddaeth yn gyntaf i'r dramodydd. Ond yn y cyswllt hwn gwelir bod y syniad yn un sydd wedi datblygu'n gefndir i strwythur sy'n cynnwys sefyllfa, cymeriadau a digwyddiadau comedïol. Mae sgwrs ddibwys feunyddiol y ddau brif gymeriad, Iori a Mabli, yn troi'n ddiddiwedd o gylch eu cyflwr cymdeithasol cystadleuol. Mae eu hobsesiwn yn troi'n ddiriaethol ac yn cymryd arno ffurf anifail sy'n byw yn eu gardd ffrynt. Mae'r creadur yn newid yn flynyddol. Camel sydd yn yr ardd ar ddechrau'r ddrama. Jiráff oedd ganddynt y flwyddyn cynt. Erbyn diwedd y ddrama maent am gyfnewid eu camel am neidr eu cymydog, Norah. Mae teitl y ddrama, *Hollti Blew*, yn adlewyrchu'r sgwrs ddibwys sy'n llenwi eu bywydau swbwrbaidd. Mae hyd yn oed yr ymwelydd, Wncwl Benjamin (sydd yn fenyw erbyn iddi ymddangos ar lwyfan) yn ymuno yn y sgwrs 'afresymol'. Perthyn y ddrama hon i gyfnod Theatr yr Afreswm ac adlewyrchir arddull ddychanol y theatr honno yn sefyllfa, cymeriadau a digwyddiadau'r ddrama.

Yn sicr, rhyw syniad gwreiddiol fydd yn ysgogi awdur i ysgrifennu ar ffurf ddramatig a theatrig. Gallai'r syniad ddeillio, wrth gwrs, o gymeriad neu set o gymeriadau, o sefyllfa neu gyfres o sefyllfaoedd, o thema, o ragfarn, neu o argyhoeddiad. Gallai ddeillio o ddigwyddiad unigol neu o stori gyflawn. O ble bynnag y daw'r syniad, mae angen i'r awdur feddwl drosto, chwarae gyda'r syniad, a gweld a oes yna bosibilrwydd y gellid estyn y syniad i strwythur dramatig. Y peth pwysicaf, efallai, o safbwynt ein trafodaeth ni, yw ystyried a yw'r syniad estynedig yn addas ar gyfer strwythur cyfyng a disgybledig y ddrama fer?

Mae rhai dramodwyr yn hoff o drin delweddau fel sail i'w dramâu. Byddai Gwenlyn Parry yn patrymu ei lwyfan ar yr hyn a alwyd gan Elan Closs Stephens yn 'ddelweddau estynedig'. Hynny yw, byddai'r syniad canolog tu ôl i'r ddrama yn ymddangos yn weladwy ar lwyfan. Byddai'r syniad canolog, felly, yn ymddangos yn symbolaidd ar lwyfan y digwydd. Gwelir hyn yn glir yn ei ddrama fer *Poen yn y Bol*, lle mae breuddwyd y claf dan lawdriniaeth yn ymddangos fel cyfres o olygfeydd 'byw' ar lwyfan. Mae'r syniad o freuddwyd, felly, yn troi'n ddelwedd fyw ac yn cynrychioli strwythur dramatig y gwaith.

Mae Aled Jones Williams yn trin delweddau yn ei ddrama fer *Pêl Goch*, drama sydd wedi ei seilio ar ddelweddau cryfion. Medd y dramodydd am y ddrama honno mewn cyfweliad gyda Nic Ros:

> Ydy o'n disgrifio uffern personol? Ar ryw wedd mae o. Rwyt ti wedi croesi rhyw drothwy a rwyt ti'n meddwl dy fod ti yn rhywle, ond dwyt ti ddim, rwyt ti mewn rhywle hollol wahanol... Byd alcoholig ydy o er nad oes yna ddim alcohol yn *Pêl Goch*. Rwyt ti yn y byd yma, ag eto dwyt ti ddim. Mae pethau cyfarwydd y byd yma o dy gwmpas di ond dwyt ti ddim yna. Beth sy'n bwysig am *Pêl Goch* ydy ei delweddaeth hi, nid yr ysgrifennu fel y cyfryw.

THEMA

Bron na ellir diffinio thema drama fer mewn gair neu ymadrodd. Gall y thema fod yn gywasgiad o syniad canolog y ddrama. Efallai y daw'r thema i ddramodydd mewn fflach wrth drin deunydd, sefyllfa neu gymeriadaeth yn y dychymyg. Efallai fod y dramodydd, wrth feddwl yn ddwys am yr holl annhegwch neu'r anghyfiawnder sydd yn y byd, yn ysgogi syniad ac yn ysbrydoli gwrthdaro ffyrnig rhwng cymeriadau, gan lunio golygfa yn y meddwl. Mae'n bosib y gall thema dyfu wrth i'r dramodydd lunio strwythur, neu gyfansoddi darnau o ddeialog. Ar y llaw arall, gall y thema dyfu wrth i'r ddrama ddatblygu'n uned rymus o theatr yn y meddwl ac yna ar bapur.

Yn y gomedi *Dinas Barhaus* gan Wil Sam, fe geir dau gymeriad yn chwilio am rywle i setlo i lawr, un i sefydlu busnes a'r llall i baentio. Buont yn crwydro o fan i fan yn ceisio sefydlu cartref iddynt eu hunain, ond yn raddol aeth y ddau yn anniddig ac yn anfodlon, a dyma nhw'n codi eu pac i chwilio am le amgenach. Mae hon yn ysfa ddynol – yr awydd i chwilio am le parhaol, rhywle i ollwng angor. Dyma'r ysfa sydd mewn dyn i ddod o hyd i Nirfana, Shangri-La neu Eden. Mae honno'n thema oesol. Mae Elis Gwyn Jones yn awgrymu mai 'ymchwil hollol agored am ddinas barhaus sydd yn *Dinas Barhaus*'. Dyna, mae'n sicr, yw thema'r ddrama honno. Medd Alun Ffred Jones yn y rhagair i *Yr Argae*, drama arall gan yr un awdur:

> un o themâu cyson dramâu W.S. yw'r ymchwil am gartref, am sicrwydd, am 'ddinas barhaus'. Mae'r ddau wag yn *Bobi a Sami* yn dewis gadael y sefydliad sy'n eu gwarchod er mwyn mwynhau 'rhyddid' y byd tu allan. Ond yn ôl y maen nhw'n dod a hynny o'u gwirfodd. Pobl yn chwilio am sicrwydd, am le i'w alw'n gartref, yw amryw o greadigaethau W.S.

Yn y ddrama fer *Cysgod y Cwm* gan Synge, mae'r gwrthdaro fwy neu lai'n gyfan gwbl rhwng hen fugail a'i wraig. Bellach mae'r ddau yn casáu ei gilydd, a'r ddau'n benderfynol o wneud unrhyw beth i weld cefnau'i gilydd. Twyll a dial yw sylfaen cymhellion y ddau gymeriad i weithredu, a dyna'r themâu sydd yn tyfu o'r digwydd yn y ddrama. Ac er mai comedi ddu yn ymylu ar ffars yw ei phrif nodwedd, eto i gyd mae iddi elfennau sinistr, fel y modd y mae'r hen fugail yn ffugio'i farwolaeth, a'i wraig yn dyheu am wario'i arian gyda dynion ifainc o'i ffansi.

Meddai Aled Jones Williams, wrth ateb cwestiwn ynglŷn â'r themâu sydd yn ei ddramâu:

> Dwi'n meddwl bod plentyndod yn thema fawr. Mae lot o'r cymeriadau yma yn dal yn blant. Ond mae plentyndod yn garchar hefyd. Tydyn nhw ddim wedi medru dianc oddi wrtho fo. A hefyd un o'r hen ddaliadau Freudaidd yna – mai yn y plentyn mae'r dyn a'r wraig, a dyna lle mae'r problemau hefyd … felly uffern plentyndod a'r strach yma i gyrraedd aeddfedrwydd. Y broses yma o dyfu fyny ac yn y diwedd o gael dy ddadrithio rhywsut neu'i gilydd, ond dy ddadrithio mewn ffordd dda rhywsut.

Meddai'r un dramodydd eto wrth drafod ei ddrama fer *Tiwlips*:

> am nad oedd hi'n benodol am gam-drin, roeddwn i'n ymwybodol hwyrach na fedrwn i'm ysgrifennu am gam-drin oherwydd doedd gen i ddim o'r profiad o fod wedi cael fy ngham-drin. Ond rhywbeth am y berthynas sylfaenol yna, plentyn a mam a beth sy'n digwydd pan mae'r berthynas yna'n mynd yn gam. Dyna oedd y thema; mae honna'n thema sydd gen i drwy'r amser.

Mae thema drama fer yn rhedeg fel gwythïen o aur trwy gynnwys y digwydd. Hwyrach mai hi sy'n disgleirio yn y meddwl wedi i oleuadau'r llwyfan ddiffodd ar derfyn y chwarae.

Sylfeini

DECHRAU CREU

MAE ANGEN CAEL yr ysbrydoliaeth i ddechrau, yr ysbrydoliaeth i ddod o hyd i stori fydd yn cynnal syniadau'r awdur am gymeriadau a sefyllfaoedd, am ddigwyddiadau ac am wrthdaro; ond hefyd yr ysbrydoliaeth sy'n peri i awdur deimlo'n awyddus, yn frwdfrydig, efallai'n angerddol, dros ei dasg o roi strwythur dramatig i'w ddeunydd. Ar y llaw arall nid oedd John Gwilym Jones yn credu mai ysbrydoliaeth a gawsai cyn ysgrifennu ei ddramâu. Wrth drafod ei waith mewn cyfweliad radio dywedodd:

> Un peth arall y liciwn i ddweud am yr holl weithiau yma ydy, dw i ddim yn ysgrifennwr proffesiynol, dach chi'n gweld. Dw i erioed wedi meddwl amdanaf fi fy hun wedi cael ei alw i sgrifennu. Mae wedi bod yn waith calad i mi. Nid rhywbath oedd yn dwad yn naturiol oedd o, ond rhywbath oe'n i'n gorfod gweithio'n galad iawn arno fo, ac oherwydd hynny does gen i ddim math o syniad o ysbrydoliaeth nag un dim byd ar fy nghyfryw.

Ysbrydoliaeth, awen, beth bynnag y gelwir hi, yr oedd gan Wil Sam syniadau pendant am hynny. Mewn cyfweliad â Myrddin ap Dafydd yn y gyfrol *Deg Drama Wil Sam*, meddai:

> Pan fydd hwyl go dda arna' i 'te. Dyna yw awen i mi. Fedra' i ddim meddwl am fynd ac ymladd efo geiriau – y petha sala dwi rioed wedi'u sgwennu ydi'r petha ges i hen draffarth a gorfod ymladd ac ymladd efo nhw. Mae hannar rheiny'n cael ffling sut bynnag, a dyna ddylian nhw gael.

Mae Ayckbourn yn awgrymu na ddylid dechrau ar ysgrifennu drama heb yn gyntaf gael rhyw syniad yn y pen. Beth bynnag yw'r syniad hwnnw, dyna, hwyrach, fydd un o'r pethau pwysicaf a dyf o gynnwys y ddrama wedi i'r dramodydd ei hysgrifennu. Gallem ei alw'n thema, neu'n neges, neu'n agoriad llygad, gan mai hynny fydd y gynulleidfa'n elwa ohono ar derfyn y perfformiad yn y theatr.

Ar ôl i'r dramodydd feddwl am y syniad sylfaenol, fel man cychwyn does dim yn erbyn gwneud rhestr o olygfeydd byrion gan osod rhyw fath o strwythur i'r plot. Dyma beth sy'n mynd i ddigwydd yn y fan a'r fan i bwy bynnag. Rhyw fath o senario fyddai hon i roi cyfeiriad i'r broses o adeiladu strwythur i'r ddrama. Ar y llaw arall gall y dramodydd weld gwendidau yn y ffordd yma o edrych ar y broses. Gallai ystyried hyn yn ffordd o roi blaenoriaeth i strwythur y plot yn hytrach na gweld sut mae grŵp o gymeriadau, yn sgil rhyw ysbardun yn mynd i weithredu a gwrthdaro a datblygu'r chwarae tuag at sialens y creisis.

Wedi dweud hyn, mae W. S. Jones yn cyfaddef, yn y rhagymadrodd i *Deg Drama Wil Sam*:

> Dwi'n siŵr mai anamal iawn y bydd syniad gen i yn 'y mhen cyn dechrau sgwennu. Pan mae hi'n fatar o gwilsyn a phapur, y lein gynta fydda' i'n sgwennu sy' fel tasa hi'n esgor ar y nesa a honno wedyn ar un arall ac un arall.

Mae'n sicr bod gan W. S. Jones syniadau, atgofion cyfoethog am fro a phobl, yn byrlymu yn ei ben cyn iddo ddechrau llunio drama. Ond mae ef yn awgrymu yma nad oedd cynllun cyflawn yn ymddangos cyn iddo greu'r golygfeydd cyntaf yn ei ddrama. Y mae'r dechneg yma yn ymdebygu i'r dramâu byrfyfyr y bydd cwmnïau o actorion yn eu llunio wrth iddynt greu unedau dramatig trwy'r dechneg honno.

Nid yw pob dramodydd yn dechrau fel y gwnâi W. S. Jones. Wedi iddynt ddod o hyd i'r syniad, mae'n sicr y bydd dramodwyr yn dechrau gyda rhyw strwythur, rhyw ysgerbwd o gynllun i'w gwaith creadigol. Mae ysgerbwd cynllun dramatig yn hanfodol i waith unrhyw ddramodydd, os mai dim ond er mwyn i'r ysgerbwd hwnnw gynnig cyfeiriad i ddatblygiad ei ddrama.

Yn nramâu byrion cynharaf Harold Pinter fe geir hedyn y sefyllfa a'r gwrthdaro a fydd yn y pen draw yn tyfu'n sylfeini cadarn i'w ddramâu hirion. Mae'n cyfaddef yn rhywle ei fod wedi ei gyffroi gan ryw ddigwyddiad syml yn gynnar yn ei fywyd, sef bod rhywun yn dod i mewn i ystafell at rywrai sydd yno'n sgwrsio'n reit bleserus, a'r rhywun hwnnw'n ymyrryd yn y sgwrs ac yn troi cyfeiriad y sgwrs o fod yn bleserus i fod yn ymosodol ac yn llawn gwrthdaro. Dyma'r 'fformiwla' Pinteraidd a ymddangosodd yn y man yn ei holl waith i'r theatr. Mae'n amlwg, felly, fod gan Pinter strwythur a weithiodd iddo ef yn bersonol yn ei ddramâu. Yn y cyswllt hwn, diddorol cofio bod Gwenlyn Parry wedi dweud yn rhywle am ei ddramâu, mai'r un ddrama oeddynt i gyd ond eu bod yn gwisgo dillad gwahanol.

Yn ei hunangofiant *Nesa Peth i Ddim*, mae Meic Povey'n trafod elfennau'r dasg o lunio drama. Meddai:

> Yr unig ran greadigol o'r broses sy'n rhoi mwynhad ydi deialogi, ond wedyn nid am yn hir iawn gan fod ymdrechion cynnar wastad yn cael eu diystyru, am nad ydw i prin yn adnabod y cymeriadau, a heb eto'u clywed yn siarad. Mae'r rhan bwysicaf – sef y strwythur – yn boen, ac unrhyw ymchwil yn boen yn y tin. Dwi'n cydnabod, wrth gwrs, fod peth ymchwil – i ambell agwedd o stori – yn hanfodol, ond gormod o ymchwil dagith sgriblwr.

PLOT A STORI

Mewn beirniadaeth ar y ddrama fer yn Eisteddfod Genedlaethol Hen Golwyn, 1941, mae John Gwilym Jones yn pwysleisio bwysigrwydd y 'stori' mewn drama. Gellir chwilio a chwilio am stori i lunio plot ym mhob mathau o gyfeiriadau, a drysu'n lân wrth fethu â dod i hyd i rywbeth addas, heb sylweddoli fod yna bosibiliadau gerllaw, ar stepen y drws, dan ein trwynau. Mae'r cynefin yn aml yn llawn storïau a digwyddiadau, cyffroadau a throeon trwstan, yn stôr o bosibiliadau ar gyfer bwydo dychymyg artist geiriau.

Mae David Mamet wedi dweud rhywbeth ystyrlon ar y mater yma yn y gyfrol *Modern American Drama 1945–1990*, sef bod drama yn rhoi trefn ar ein profiad mewn ffurf ddealladwy. Rhaid i'r dramodydd ofyn y cwestiwn – ydw i'n gwybod digon am y pwnc yma, y stori yma, y bobl a'r byd yma rwy'n eu trosglwyddo i'r llwyfan?

Trwy lunio storïau a chreu plotiau y bydd y dramodydd yn rhoi trefn ar y byd fel y mae ef yn ei weld. Mae'r trefnu yma'n cael ei gyflyru gan rai ffactorau, yn eu plith:

1. Y broses o ddychmygu (yr ymadrodd Saesneg sy'n briodol fan hyn yw – 'The willing suspension of disbelief');

2. Gofynion strwythurol y ddrama fer;

3. Gofynion crefft a thechnegau'r theatr.

Mae yna wahaniaeth clir rhwng y plot a stori'r ddrama. Mae'r stori'n ymestyn yn ôl cyn i'r ddrama ei hun ddechrau, ac mae hi'n bwrw yn ei blaen ar ôl diwedd y plot, ac ar ôl i'r llenni ddisgyn. Y plot yw'r strwythur a lunnir gan y dramodydd mewn man a benodir ganddo yn y stori. Rhan o'r stori yw'r plot, felly, y rhan ddramatig y mae'r dramodydd am i'r gynulleidfa ei gweld ar lwyfan.

Dyma gynfas y stori yn ymestyn o'm blaen, medd y dramodydd. Dyma fan dramatig arwyddocaol ar y cynfas; rhoddaf chwyddwydr dros y fan yma – a dyna ddarganfod y plot o dan y chwyddwydr. Mae digon ar y cynfas i gynnal drama hir, ond dan y chwyddwydr nid oes ond cyfle i ddrama fer flodeuo.

Un o'r beiau amlwg a geir mewn dramâu byrion yng nghystadlaethau drama fer yr Eisteddfod yw bod yr ymgeiswyr yn ceisio dweud cymaint o'r stori ag sy'n bosib, stwffio cymaint o'r ffeithiau cefndirol ac ati i ddeialog strwythur y ddrama. Maent yn peri i'r cymeriadau ddatgelu pob dim am bawb a phopeth o fewn terfynau'r ffurf. Haws, wrth reswm, yw dweud mwy o'r stori gefndirol mewn drama hir, pan fo angen chwistrellu honno i ddeialog, ond mewn drama fer rhaid dethol heb orlwytho deialog a rhediad y digwydd.

Wrth gyfeirio at strwythur dramâu W. S. Jones, awgrymir mewn portread ohono yn *Llais y Lli* (3 Tachwedd 1962): 'Cred y dylai drama symud yn ei blaen yn gyflym – "dyna pam bydda i'n neidio dros y rhagymadrodd". Nid yw'n hoff o ddisgrifio, ni allai byth gymryd y drafferth o ysgrifennu nofel.'

Mae dramodydd crefftus yn llwyddo i osod cefndir, pan fydd ei angen, o fewn terfynau strwythurol y ddrama fer. Cymerer, er enghraifft, y modd y mae Gwenlyn Parry yn llwyddo i ddatgelu plentyndod ei brif gymeriad y tu mewn i'r freuddwyd a gaiff pan mae dan glorofform y llawdriniaeth yn *Poen yn y Bol*. Mae John Gwilym Jones yn ei ddrama *Un Briodas* yn datgelu cefndir Meg a Dic yn raddol trwy eu hatgofion. Ceir cyfrwyster Ibsenaidd yn y math yma o ddatgelu. Ni wnâi unrhyw ddrwg i ddramodydd astudio'r modd y mae Ibsen yn bwydo'r gorffennol arwyddocaol yn raddol trwy ddeialog ei gymeriadau.

Bydd drama fer yn aml yn dechrau gyda digwyddiad fydd yn ysgogi ymateb dramatig, ac mae achos ac effaith yn rhan annatod o'r broses yma. Ystyriwn olygfa gyntaf *Hollti Blew* (cyfaddasiad T. James Jones o *A Resounding Tinkle* gan N. F. Simpson). Mae'r sefyllfa'n cydio'n syth wrth i Mabli ac Iori drafod presenoldeb y creadur sydd wedi ymgartrefu yng ngardd ffrynt eu tŷ.

MABLI:	Bydd rhaid i ni ei adael e mas rwy'n ofni.
IORI:	(*yn eistedd i ddarllen papur*) Wyt ti wedi'i fesur e?
MABLI:	Pwy fesur e? Wyt ti'n meddwl y gallwn ni gael rhywbeth felna mewn i dŷ "semi-detached"?
IORI:	Roeddwn i'n meddwl mai mewn byngalo roeddwn i'n byw.

MABLI: Bydd pobol yn meddwl dy fod ti am ennill y blaen ar
          bawb arall. Edrych ar ei hen draed mawr e'n stablan.
IORI: O! Er mwyn y nefoedd, unwaith y flwyddyn ma hyn yn
          digwydd.
MABLI: *(yn eistedd gan afael mewn gwaith gweu neu rywbeth*
          tebyg) Ma fe'n ddigon o seis i hotel. Tae hotel neu ysgol
          breifat neu rywbeth 'da ti, falle y bydde angen un mawr
          arnat ti ... A beth os aiff e'n wyllt yn y nos? Dwy' i ddim
          yn codi i fynd ato fe.
IORI: Oes rhaid iddo fe fynd yn wyllt?
MABLI: Os aiff e, fe ddaw'r hen Mrs Cambren-Jones rownd
          yma eto, i'n bygwth ni â'r R.S.P.C.A.
IORI: *(yn mynd at y ffenest)* Dy fusnes di oedd bod yma pan
          ddaethon-nhw ag e. Fe allet ti fod wedi'i fesur e wedyn.
MABLI: A phwy enw allwn ni roi arno fe? Allwn ni ddim iwso
          Carnabwth eto.
IORI: Yr unig dro 'yn-ni ddim wedi galw Carnabwth arno fe
          oedd tair blynedd yn ôl, pan fuodd rhaid i ni neud y tro
          â "giraffe".

Mae'r sefyllfa 'abswrdaidd' ddigri yma'n arwain yn syth i mewn
at fater y ddrama a'r feirniadaeth gymdeithasol sydd wrth wraidd
y digwydd.

Mae plot y ddrama fer yn dechrau mewn man sy'n allweddol
i gynlluniau'r awdur yng nghyfanwaith y stori gefndirol. Gall
dechrau'r plot fod yn ddigwyddiad tymhestlog, neu'n olygfa
agoriadol sydd yn adwaith i ddigwyddiad cyn i'r plot ddechrau.
Fel arfer mae dramodydd yn osgoi dechrau ei blot yn or-
felodramatig. Gwell ganddo gychwyn gyda rhyw ddigwyddiad
dylanwadol neu benderfyniad pwysig gan brif gymeriad, gan
adael i hwnnw neu honno wneud dewis allweddol.

Mae penderfyniadau yn arfau pwysig iawn i'r dramodydd eu
defnyddio wrth greu elfennau dramatig y digwydd. Trwy bender-
fyniad mae cymeriadau'n dangos eu metel. Gall penderfyniad
fod yn allweddol i dynged y cymeriadau, neu'r cymeriad, ond
ar y llaw arall gall fod yn rhwystr iddynt. Mae penderfyniad ar

ddechrau'r ddrama'n effeithiol i roi cyfeiriad i ddatblygiad y chwarae. Er enghraifft, yn y gomedi fer *Seimon y Swynwr* gan Wil Sam, mae Miss Wyn, perchennog y tŷ, a'i morwyn, Megan, yn sgwrsio am yr angen i gael dyn:

MISS WYN: Mae gin i angan dyn …
MEGAN: 'Rhen *'Spring Cry'* 'ma.
MISS WYN: Mae dynion call yn brin.
MEGAN: Ac maen nhw'n mynd yn brinnach bob tro maen nhw'n galw. Pam? Ga' i ofyn, pam? …
MISS WYN: Cewch.
MEGAN: Dynas gyfoethog 'run fath â chi. Pam nag ewch chi allan o'r hen le 'ma weitha? Pam nag ewch chi i chwilio am ddyn iawn. Pam na phriodwch chi Ma'm?

Erbyn canol y ddrama bachir ymwelydd o'r enw Seimon, ysglyfaeth ddiweddaraf Miss Wyn, ac am ei fod yn ei thwyllo, yn llinach y ffars, mae hi'n ei saethu. Mae'r ffars yn cyrraedd ei huchafbwynt wrth i Miss Wyn a Megan gael gwared o'r corff, er mwyn ailgychwyn drachefn ar eu chwilio.

MISS WYN: Dowch â'i walet o i mi.
MEGAN: (*Rhoi'r walet*)
Ydach chi am fynd â'i bres o?
MISS WYN: (*Edrych i waled lawn*)
Ei bres *o*? Fy mhres *i* Megan. Eiddo 'nheulu i. Mae 'na ormod o'r teip yma'n wlad 'ma. Dynion yn rheibio, dwyn pres pobol onast a gneud dim i haeddu nhw. Gneud dim swydd o fora tan nos.
MEGAN: *Parachutes*, oedd Mr Seimon yn galw nhw.
MISS WYN: Galw pwy?
MEGAN: Galw *chi* dw'i meddwl, Ma'm.
MISS WYN: (*Edrych ar Seimon ar lawr*)
'Y Cyngor Diogelu Gwragedd Cyfoethog!' Dowch Megan, gafaelwch yn ei draed o.
MEGAN: I 'run fan â Rojiar, Mam?
(*Miss Wyn yn nodio, a'r ddwy yn llusgo Seimon allan*)

Bydd rhai dramodwyr yn gosod eu prif gymeriadau mewn sefyllfa emosiynol sy'n anghyfarwydd iddynt. Mae rhai'n gadael i'r prif gymeriadau wneud camgymeriadau, gan alw arnynt i wneud penderfyniadau – er gwell, er gwaeth. Ar derfyn y plot rhoddir y cyfle iddynt wynebu eu camgymeriadau a chyfaddef eu camweddau.

A dyna nhw'n dod i adnabod eu byd yn well, er nad, o bosib, yn gliriach. Yn y modd yma gellir rhoi gwefr i gynulleidfa ar derfyn y perfformiad. Ar ddiwedd y gomedi fer *John Huws Drws Nesaf* gan Cynan, mae John Huws yn methu dewis pa un o'r ddwy chwaer – Catrin neu Laura – i'w phriodi. Er mwyn dewis, mae'n taflu ceiniog i'r awyr, a honno'n disgyn i grac yn y llawr pren. Felly nid oes dewis ond gadael y ddwy i'w tynged, a'r rhosyn yn dal ar y bwrdd. Wedi iddo ymadael:

CATRIN: (*Mewn ymgais ddewr i herio'i thrueni ei hun*) Fe wnaethom yr hyn sydd iawn, felly dim gwahaniaeth beth yw 'i syniad o amdanom ni. A waeth gen i chwaith. (*Disgyn ei llygaid ar y rhosyn ar y bwrdd. Fe'i cyfyd yn dyner at ei hwyneb i'w ogleuo a'i anwesu ar ei grudd.*)

LAURA: Rho hwnna i mi! Mi ofala i amdano!

CATRIN: (*Yn ei chwipio y tu ôl i'w chefn*)
Ar gyfer ei ddarpar-wraig, dyna ddwedodd o. Hwyrach dy fod di'n meddwl ...

LAURA: Mae gen i gystal hawl i feddwl ag sydd gen ti, on'd oes? (*Wynebant ei gilydd, a'u llygaid ar danio eto. Ond dyna'r argyfwng yn mynd heibio, i Laura mewn cawod o ddagrau – i Catrin mewn gweithred sydyn.*)

CATRIN: Ddaw hi ddim fel hyn! Ddaw hi ddim! (*Dyna hi'n croesi at y tân ac yn gollwng y rhosyn iddo*) Edrych yma, Laura Jane, dyna ddiwedd ar y peth – llwch i'r llwch, a lludw i'r lludw ...

Yn hanner cyntaf y ddrama fer *Yr Hen Ddiod 'Na Eto* gan Tolstoi, daw Crwydryn i fwthyn y werinwraig, Martha. Caiff groeso a llymaid o de. Pan ymddengys Michael, gŵr Martha, yn feddw,

46

mae'n curo'i wraig am fentro croesawu'r Crwydryn. Ond mae'r Crwydryn yn achub Martha rhag cael ei hanner lladd gan ei gŵr. Mae Michael yn llusgo'r Crwydryn o'r tŷ. Yn ail hanner y ddrama mae Michael yn darganfod fod y Crwydryn wedi mynd â pharsel o de gydag ef. Delir y Crwydryn gan gymdogion, ond nid dwyn y te a wnaeth eithr ei ddychwelyd er mwyn dysgu gwers i Michael am ddrwgdybio dieithryn a'i gyhuddo ar gam. Dyma uchafbwynt y digwydd ac ergyd y plot ar derfyn y chwarae:

MICHAEL: Dos, Duw yn rhwydd iti! Ond paid â gneud yr un peth eto. (*Yn troi at ei wraig*) Am roi gwers i mi, oeddet ti?

Y CYMYDOG: Thâl hynny ddim, Michael, rhoi siampl ddrwg i bobol ydi peth felna.

MICHAEL: (*Â'r parsel yn ei law*) Talu neu beidio, dyna fy ffordd i. (*Wrth ei wraig*) Am roi gwers i mi, oeddet ti? (*Saif heb ddweud gair â'i lygaid ar y parsel, yna rhydd ef i'r Crwydryn yn benderfynol gan edrych ar ei wraig.*) Cymer hwn iti gael llymaid o de ar y ffordd. (*Wrth ei wraig*) Am roi gwers i mi, oeddet ti? (*Wrth y Crwydryn*) Dos, 'does gin i ddim mwy i ddeud.

Y CRWYDRYN: (*Yn cymryd y parsel: ar ôl ysbaid o ddistawrwydd*) Wyt ti'n meddwl nad ydw i ddim yn dallt? (*Â chryndod yn ei lais*) Mi 'dw i'n dallt i'r dim. Mi faswn i'n teimlo'n sgafnach taet ti wedi fy ngolchi i fel ci. Mi wn i be dw i, yr adyn gwaetha yn y byd. Er mwyn yr Iesu, maddau i mi. (*Yn beichio ac yn taflu'r parsel ar y bwrdd a mynd allan yn gyflym*)

MARTHA: Diolch i Dduw, aeth o mo'r te hefo fo, ne fasai gynnom ni ddim llwchyn yn y tŷ.

MICHAEL: Am roi gwers i mi, oeddet ti?

Y CYMYDOG: Yn toedd y creadur bach yn crio!

ACWLINA: 'R oedd hwnna hefyd yn ddyn.

Mae hi bob amser yn bwysig gofyn rhai cwestiynau allweddol wrth ddechrau llunio strwythur drama fer. Beth sy'n gwneud stori a phlot da? Sut mae mynd ati i gyfansoddi dechrau a diwedd stori, a dewis ble i ddechrau a diweddu plot? Beth yn y stori sy'n ysgogi'r plot? Pryd yn y stori i ddechrau'r plot?

Felly, trefnu deunydd yw diben cynllunio plot, rhoi trefn ar weithredu cymeriadau, eu dyfodiad a'u mynediad, eu cynllunio a'u gwrthdaro. Gwaith plotio yw ceisio gweu llinyn dramatig fydd yn denu sylw cynulleidfa yn y theatr, yn ei denu, ei diddori a'i hudo o ddechrau'r perfformiad o'r ddrama ar lwyfan hyd y diwedd.

Mae'n bwysig cofio dilyniant achos ac effaith wrth adeiladu plot. Hynny yw, mae un sefyllfa neu ddigwyddiad yn arwain at y nesaf, ac yn y blaen, hyd y terfyn. Gall bywyd unigolion, sy'n cynnwys un weithred yn dilyn y llall, a'r ymateb iddo, fod yn allwedd i ddechrau llunio'r plot.

AMSER

Oherwydd ffurf gwta'r ddrama fer gall y defnydd o gymeriadau, o leoliad, o amgylchfyd ac o ddigwydd fod yn gyfyng. Ond, fel y gwelsom, nid yw hyn yn wir bob tro. Os yw'r dramodydd yn ddigon sgilgar gall ymestyn yr elfennau hyn yn ôl galw'r sefyllfa yn y plot. Gall ddefnyddio bagaid o gymeriadau, llond trol o olygfeydd, dim ond i'r canlyniad fod yn gredadwy ac yn cyfateb i ofynion y digwydd.

Yn ogystal, gellir pontio amser yn rhediad y digwydd, gan ddefnyddio technegau theatraidd i gyflawni hynny. Yn y ddrama fer *The Long Christmas Dinner* gan yr Americanwr Thornton Wilder, fe gyflymir amser wrth i un pryd bwyd teuluol gynrychioli digwyddiadau dros naw deg o flynyddoedd. Mae cymeriadau'n heneiddio ac yn datblygu; mae rhai yn eu hesgusodi eu hunain o'r bwrdd ac yn marw, ac eraill, iau, yn cymryd eu lle wrth y ford. Mae'r sgwrsio wrth y bwrdd bwyd yn disgrifio'r newid yn nhynged ariannol y teulu ac yn yr amgylchfyd allanol wrth i'r blynyddoedd fynd heibio.

Felly, wrth i ni ystyried amser cawn fod yna ddwy elfen iddo; yn gyntaf, yr amser a gymer i berfformio drama fer (rhyw hanner awr i dri chwarter fel arfer), dyna yw'r amser real wrth i'r ddrama gael ei chyflwyno ar lwyfan. Ond yr amser arall yw'r amser yr ymdrinnir ag ef gan y dramodydd o fewn strwythur y ddrama, a hwn yw'r amser 'ffuglennol'.

Ystyriwn driniaeth dau ddramodydd gwahanol, ac enghraifft yr un o'u dramâu byrion, i ddangos y modd y gellir trin amser mewn gwahanol ffyrdd. Yn y ddrama fer *Yr Arth* gan Chekhov, mae amser y perfformio fwy neu lai'n cydredeg â'r digwydd sydd yn y plot. O ymddangosiad cyntaf Madame Popofa a'i gwas Luka, dyfodiad Smirnoff y cymydog, a'r ffrwgwd sy'n tyfu rhwng Popofa a Smirnoff ynglŷn â darn o dir, hyd at eu carwriaeth ffarsaidd ar derfyn y chwarae, mae rhyw dri chwarter awr wedi mynd heibio. A dyna, fwy neu lai, faint o amser a gymer i berfformio'r ddrama fer hon ar lwyfan. Felly, mae'r 'amser perfformio' a'r 'amser ffuglennol' yn weddol agos i'w gilydd.

Ar y llaw arall, mae 'amser ffuglennol' y ddrama fer *Poen yn y Bol* yn dra gwahanol. Fel y gwelsom eisoes, pan fo'r prif gymeriad o dan anesthetig, bydd ei feddwl yn teithio dros nifer o flynyddoedd o brofiadau ieuenctid, profiadau a bortreadir ar lwyfan. Mae 'amser ffuglennol' y ddrama ei hun, felly, yn ymestyn ymhell y tu hwnt i'r amser a gymer i berfformio'r ddrama ar lwyfan.

Mae gan Thornton Wilder ddrama o'r enw *Happy Journey from Trenton to Camden*. Yn y ddrama fer honno mae teulu yn teithio mewn car ar draws gwlad am oriau bwygilydd. Cawn ddisgrifiad o'r daith trwy eiriau'r cymeriadau, a hynny mewn fflachiadau o brofiad. Ar lwyfan fe gymer rhyw ddeugain munud i dri chwarter awr i'w pherfformio, ond y mae'r daith yn ymestyn i ddiwrnod cyfan, bron, o brofiadau cyffrous.

Felly mae amser, hyd yn oed o fewn terfynau'r ddrama fer, yn rhywbeth y gall y dramodydd ei drin a'i foldio yn ôl gofynion ei blot, ond iddo'i drin yn grefftus ac yn dderbyniol i ddychymyg cynulleidfa yn y theatr. Ar ddechrau *Yr Hen Ddiod 'Na Eto* daw crwydryn i ymyrryd ym mywydau trigolion mewn bwthyn bychan yn y wlad. Mae ail ran y ddrama yn digwydd y bore trannoeth yn yr un bwthyn, a'r crwydryn yntau wedi dychwelyd i ddysgu gwers foesol i'r tyddynwyr. Portreadir y digwydd dros ddau ddiwrnod o 'amser ffuglennol' felly. Gan fod y dramodydd wedi llunio'r digwydd a gwrthdaro'r cymeriadau mor gelfydd o gryno, rydym yn fodlon derbyn ei driniaeth o amser o ganlyniad i ofynion y plot.

DECHRAU YSGRIFENNU

Mae'n ddiddorol darganfod mai trwy lunio storïau byrion y dechreuodd Wil Sam ei yrfa fel ysgrifennwr, cyn iddo fynd ati i lunio dramâu byrion. Dechreuodd Anton Chekhov yn union yr un modd. Mae'n amlwg i'r ffurf gwta ateb diben y ddau awdur yma ar ddechrau eu gyrfa fel dramodwyr. Ar y llwybr hwn, gyda llaw, y dechreuodd Maupassant, yntau'n gyfrannwr llewyrchus i ddatblygiad y ddrama fer Ewropeaidd. Meddyg oedd Chekhov, ac fel meddyg yr oedd ganddo gyfle beunyddiol i astudio'r ddynoliaeth yn fanwl yn ei feddygfa. Am gyfnod yn ei fywyd, perchennog garej oedd Wil Sam, ac fel trwsiwr moduron a motor-beiciau byddai'n dod ar draws llu o gymeriadau ei fro wrth iddynt fynychu'r gweithdy. Ceir gwers yn hyn i'r darpar ddramodydd. Er mwyn creu cymeriadau byw a diddorol mae angen astudio'r ddynoliaeth yn ofalus ac yn ddyfal. Rhaid sylwi'n fanwl, meddai Brecht yn un o'i gerddi theatr, ar bob agwedd ar ymddygiad ac ymarweddiad pobl, astudio'r bobl ar y stryd a ble bynnag arall y byddant, gan sylwi ar eu nodweddion a'u hynodrwydd.

O safbwynt ateb yr awydd i ysgrifennu drama fer, mae'n rhaid ystyried nifer o wahanol ffactorau cyn mynd ati i lunio deialog o enau cymeriad neu gymeriadau. I ddechrau, mae angen cryn dipyn o ddarllen dramâu byrion er mwyn cyfarwyddo â'u siâp a'u cynnwys. Rhaid dod i adnabod elfennau'r grefft y mae dramod-wyr llwyddiannus yn eu defnyddio i lunio deialog, i drin y gwrth-daro rhwng cymeriadau, i ddatblygu sefyllfa'r ddrama ac i beri i'r cymeriadau 'fyw' yn eu hamgylchfyd. Hynny yw, bydd angen bod yn hollol sensitif i ofynion y theatr. Felly y mae W. S. Jones a Chekhov yn esiamplau gwerthfawr i'r darpar ddramodydd.

Dylid dechrau trwy ysgrifennu pytiau o storïau, digwyddiadau efallai, troeon trwstan, a'r rheiny wedi eu seilio ar brofiadau personol. Wedyn, llenwi'r straeon hynny â chymaint o gymer-iadau ag sy bosib, a'r rheiny'n gymeriadau sydd â rhywbeth i'w ddweud, rhyw safbwynt, rhyw ddadl, rhyw anghytundeb, rhyw wrthwynebiad, rhyw awydd i bryfocio.

Rhaid gosod y cymeriadau mewn sefyllfaoedd dyrys, sefyllfa-oedd y mae'n rhaid iddynt eu datrys, rhyw argyfwng y bydd angen iddynt geisio'i wynebu a'i orchfygu. Gall yr ymarferion hyn fod yn gychwyn grymus i hogi'r meddwl a'r dychymyg ar gyfer troi rhan o stori i gyfeiriad strwythur plot, a dechrau ysgrifennu yn nhermau drama fer.

Mae gan Urien Wiliam, yn ei feirniadaeth ar y ddrama fer i rai rhwng 15 ac 19 oed yn Eisteddfod Genedlaethol Llanbedr Pont Steffan, 1984, yr awgrymiadau canlynol i awduron:

> Yn y lle cyntaf dylai gael nifer o gymeriadau sydd wedi'u diffinio ym meddwl yr awdur o ran eu nodweddion personol h.y. yn gymeriadau o gig a gwaed. Yn ail, fe ddylai fod ymgais at greu cynllun neu thema sy'n arwain at ryw fath o uchafbwynt a dadleniad. ... Yn olaf, fe gymerwn yn ganiataol y bydd elfen gref o wrthdaro a thyndra yn y ddrama.

Yma drachefn y mae'r hanfodion yn glir ym meddwl y beirniad, hanfodion sydd yn cael eu tanlinellu drachefn o flwyddyn i flwyddyn yng nghystadlaethau'r ddrama fer.

Yn ei hunangofiant, mae Meic Povey yn adleisio rhai o ofynion ysgrifennu drama, gan awgrymu hefyd nad yw'n hawdd mynd ati i lunio'r math yma o waith creadigol. Mae'n crybwyll bod:

> drama newydd yn gofyn am yr un hen gynhwysion dro ar ôl tro, ond eu bônt o anian newydd sbon; cymeriadau lliwgar, dwfn, diddorol a stori sydd yn gafael; gwrthdaro ac is-destun. Rhaid dechrau o'r dechrau bob tro, fel tasa chi rioed wedi gwneud dim yn eich bywyd o'r blaen. Proses o ailsgwennu ydi sgwennu yn y bôn, heb fawr o ramant yn perthyn iddo, talcen caled gynted mae gwefr y syniad gwreiddiol wedi pylu.

Gellir tybio bod John Gwilym Jones, oherwydd ei alwedigaeth fel darlithydd prifysgol a'i ymwneud yn feunyddiol â myfyrwyr, wedi ei ysbrydoli i ysgrifennu'r tair drama fer yn *Rhyfedd y'n Gwnaed*. Mae'r tair drama yma yn ymwneud yn uniongyrchol â bywydau myfyrwyr ifanc.

Ysbrydolwyd Synge, wedi iddo dreulio cyfnod ymhlith trigolion Ynysoedd Aran er mwyn ymdeimlo â byd gwledig y Gorllewin, i ysgrifennu nifer o'i ddramâu byrion enwocaf o ganlyniad i'r profiad hwnnw. O wrando ar deithwyr a storïwyr gwerinol y tyfodd rhai o glasuron y ddrama fer fel *The Shadow of the Glen*, *The Tinker's Wedding*, a *Riders to the Sea* (a gyfieithwyd i'r Gymraeg gan Jeremiah Jones).

A dyna Wil Sam yntau, yn ysgrifennu am gymeriadau ei filltir sgwâr. Onid oes gwers i'w dysgu yn hyn o beth, sef ei bod yn bwysig cofio cyfoeth y bywyd sydd o'n cwmpas, y straeon a'r troeon trwstan a geir yn yr amgylchfyd hwnnw, gan sylweddoli y gall profiad dyn o'i gynefin adlewyrchu profiad ehangach y byd. Gall y lleol adlewyrchu'r cyffredinol, ac oherwydd hynny gellir darganfod themâu dyrys, dwys, digri, gafaelgar, ystyrlon ac arwyddocaol o'r bywyd sydd o'n cwmpas yn feunyddiol.

Crefft

CYMERIADAETH

DYFAIS YW CYMERIAD mewn drama, hynny yw, caiff ei greu gan y dramodydd at bwrpas neilltuol. Mae'r dramodydd yn llunio'r cymeriad drwy gyfuno:

1. Priodoleddau corfforol, presenoldeb a nodweddion arbennig;
2. Personoliaeth unigryw gan gynnwys meddwl, teimladau, argymhellion, rhagfarnau;
3. Cymhellion i ymateb, symud, gwrthdaro, brwydro – hynny yw, cyneddfau i fedru tyfu'n 'fyw' ar lwyfan.

Gall cymeriad fod yn adlewyrchiad o rywun mae'r dramodydd yn ei adnabod, neu wedi ei gyfarfod yn y gorffennol. Gall fod yn gyfuniad o wahanol ffynonellau, neu'n fod sydd wedi ei greu'n llwyr o ddarnau o brofiad. Beth bynnag yw ei wreiddiau, mae angen i'r cymeriad ymddangos a thyfu trwy ddychymyg y dramodydd. Wrth lunio cymeriad mae'r awdur yn ymwybodol, os bydd angen, y bydd lle iddo yn stori gefndirol y ddrama, ac, o'i ddewis yn derfynol, y bydd lle iddo yn y plot.

Mae cymeriadau'n datblygu i'w haeddfedrwydd wrth i'r dramodydd greu deialog ac ynddi weithred a chyfathrach, gwrthdaro ac argyfwng. Wrth drafod natur cymeriad mewn drama, mae Meic Povey yn ei hunangofiant yn awgrymu'r canlynol:

> Yn gyntaf oll, rhaid 'adnabod' cymeriad, a hynny trwy ei weld yn 'gweithredu'; dim ond trwy weithredoedd cymeriad – yn enwedig y dewisiadau mae o neu hi yn eu gwneud o dan bwysau – y dowch chi i'w adnabod. Wedi adnabod y cymeriadau, mi ddowch i uniaethu â nhw – ac, yn y diwedd, i falio amdanynt.

Wedi i'r dramodydd ddewis ei gymeriadau, yn ôl gofynion y plot, a'u gosod yn derfynol ym mhatrwm y digwydd, eu presennol sy'n galw am y sylw, hynny yw eu presennol yn natblygiad y ddrama. Yn y presennol hwnnw, sef yr hyn a welwn ni'r gynull-eidfa ar lwyfan, mae gan y dramodydd yr hawl i weu unrhyw orffennol priodol sydd yn addas i'w adfer i'r ddeialog.

Meddai John Gwilym Jones mewn sylwadau beirniadol ar natur cymeriad mewn drama fer:

> Cymeriadau eisoes wedi eu ffurfio, neu o leiaf wedi cyrraedd carreg filltir neilltuol yn eu datblygiad ydyw cymeriadau Drama Fer – cymeriadau mwy neu lai sefydlog. Os pwrpas yr awdur yw creu sefyllfa sy'n trawsnewid agwedd un o'i gymeriadau at fywyd, yna gall y cymeriad hwnnw ym munudau olaf y ddrama ddweud pethau a fyddai ar ddechrau'r ddrama yn hollol groes, neu o leiaf yn wahanol iawn i natur y dyn newydd. Gall amgylch-iadau neilltuol droi dyn rhyfelgar yn heddychwr.

Ar ddechrau'r ddrama fer *Y Wraig* gan Wil Sam, mae Bet, y wraig, wedi gadael ei gŵr, Preis. Daw Cymydog i mewn i weld Preis, sydd yn dal yn ei wely. Mae Preis eisoes yn gymeriad cyflawn o ddechrau'r chwarae:

CYMYDOG:	Bigog bora 'ma.
PREIS:	Bigog? Pwy sy'n bigog? Pwy sy'n bigog?
CYMYDOG:	Codi 'rochor chwithig bora 'ma.
PREIS:	Naci, naddo. Rydw i'n cysgu'n 'r erchwyn, codi 'run ochor, 'run ochor yn union ers dydd ers dydd …
CYMYDOG:	Ers dydd 'raeth Bet o 'ma. 'Beti bwt a aeth i siopio Pwys o de a dau o goco.'
PREIS:	Ia, ia. Sut gwyddost ti?
CYMYDOG:	Mi ddylwn wbod bellach, rydw i wedi cael yr un bregath yn union bob dydd ers blwyddyn. Rydan ni wedi rhedag allan o peth yma a peth arall, Musus. Bet yn cipio'i basgiad, a ffwr' hi i'r dre i nôl mân betha …

PREIS: Ia, un fel'na oedd, un fel'na ydi, Bet. Mae hi yma
un funad, a'r funad nesa mae hi wedi diflannu.
CYMYDOG: Ia, debyg.

Mewn ysgrif ar 'Y Ddrama yng Nghymru' (*Y Faner*, 26 Mawrth
1925) mae Saunders Lewis yn gofyn y cwestiwn – beth yw
hanfod drama a'i phrif ddiddordeb? Yn ei ateb mae'n pwysleisio
hyn:

> bod yn arfer mewn drama ddarlunio dynion, ac mai diddordeb
> mewn cymeriadau, mewn personoliaeth, sy'n rhoi bod i'r dramâu
> cyflawnaf. Dangos dyn fel y mae yn y byd hwn, yn ei drafferth-
> ion, ei ychydig wynfyd, ei ansicrwydd, ei ofn a'i ofid, ei chwerthin
> a'i ysmaldod, ei flinder, ei dranc, dyna fusnes y ddrama yn
> gyffredin.

Un gwahaniaeth amlwg rhwng cymeriad mewn nofel a chymer-
iad mewn drama yw mai tynged y cymeriad mewn drama fydd
ymddangos yn 'fyw', trwy gelfyddyd yr actor, ar lwyfan theatr.

Mae nofel yn traethu; mae drama yn arddangos. Nid rhywun
i ddarllen amdano yw cymeriad mewn drama, rhywun i'w weld
wrthi'n gweithredu ar lwyfan. Felly, gorau oll os gall y dramodydd,
wrth greu cymeriadau, chwistrellu ynddynt botensial bywyd
ar gyfer y llwyfan. Dylai dramodydd gynllunio cymeriadau
addas i'w hactio gan actorion. Mae hyn yn ymddangos yn beth
amlwg i'w ddweud, ond bydd beirniaid drama yr Eisteddfod
Genedlaethol yn aml yn cyfeirio at gymeriadau prennaidd,
cymeriadau un dimensiwn, cymeriadau anniddorol a chymer-
iadau marw-anedig.

Cymeriad yn gwneud rhywbeth yw drama – dyna a ddywedodd
un beirniad. Nid yn unig mae'n rhaid iddo lefaru, ond mae'n
rhaid iddo hefyd weithredu. Wrth gwrs, mae'n rhaid iddo
wneud llawer mwy na hynny, ond mae'r gosodiad syml yma yn
fan dechrau i'n hymdriniaeth o greu cymeriad mewn drama.
Y gair allweddol yn y cyswllt hwn yw – gweithredu. Gall yr act o

weithredu olygu mwy o lawer na symud yn gorfforol. Wrth lefaru mae'n gweithredu. I Chekhov, yr oedd meddwl yn weithred: meddwl am wneud rhywbeth, y meddwl am weithredu. Felly, pan fo cymeriad yn siarad mae'n gweithredu.

Sut mae cymeriadau ar gyfer drama yn cael eu geni? Fel y gwelsom, yn fawr neu'n fach, arwyr neu lyfrgwn, unigolion neu gorws, mae'n amlwg fod angen iddynt feddu ar botensial bywyd ar gyfer y llwyfan. Gan y bydd angen iddynt feddu ar lais, ar feddwl, ar ddychymyg, ar emosiwn ac ar ragfarnau ac argyhoeddiadau, sut mae'r dramodydd i'w creu, o ba ffynhonnell ac o ba ddeunydd? Edrychwn, am eiliad, ar yr hyn sydd gan y dramodwyr profiadol i'w ddweud.

Mewn cyfweliad ar y radio, fe ddywedodd John Gwilym Jones, wrth drafod ei ddramâu:

> Dydw i ddim wedi patrymu neb ar bobol dwi'n eu nabod, dim o gwbwl. Yr unig un dwi wedi neud yw defnyddio fi fy hun, a dwi ddim wedi defnyddio fi fy hun chwaith. Mae 'na beth wmbrath o chi yno fo, ond nid y chi i gyd.

O ble, felly, y daw'r gweddill? Medd yr un dramodydd yn ei hunangofiant, *Ar Draws ac ar Hyd*:

> Dibynnwn yn helaeth iawn ar fy nghefndir a'm cartref i helpu fy niffyg dyfeisgarwch a dibynnwn hefyd ar y math o bobl 'roeddwn yn troi yn eu plith. Y bobl 'roeddwn i'n eu hadnabod orau oedd athrawon, myfyrwyr a phregethwyr ac am y rheiny y dymunwn sôn yn fy nramâu. Dyna pam y maen nhw'n fwriadol yn ddramâu lle y ceisiaf gael rhyw fath o sgwrsio deallus ynddyn nhw.

Mae Aled Jones Williams yn trafod cwestiynau y bydd cynhyrchwyr drama yn eu gofyn iddo:

> o le mae'r cymeriadau yma wedi dŵad? A beth oedden nhw'n ei wneud cynt, a beth oedd eu gwaith nhw, a beth oedd enw ei fam o? Dydw i'm yn gwbod o lle maen nhw wedi dŵad, ond maen

nhw wedi cyrraedd rŵan. A mae 'na rywfaint o arwriaeth yna, os ydy arwriaeth yn golygu dyfalbarhad er gwaetha bob dim.

Mae Nic Ros yn holi Aled Jones Williams yn y gyfrol *Disgwl Bŷs yn Stafell Mam*, ai gyda'r cymeriad y bydd yn dechrau ysgrifennu yn hytrach na'r sefyllfa ddramatig. Yn ei ateb mae Williams yn dweud:

> Rhyw gymeriad sydd yna'n deud rhywbeth, ac os glywa i gymeriad yn siarad imi, fydda i'n gwbod fod yna bethau'n digwydd. Y cwestiwn mawr wedyn ydy lle mae hwnna'n mynd i fynd? Ac fe all rhai pethau fod yna am flynyddoedd. Mae'r sefyllfa hefyd, wrth reswm, yn bwysig ond, gan amlaf, y cymeriad sy'n dŵad yn gyntaf, wedyn y sefyllfa.

Mae pob bod dynol yn gymhlethdod unigryw o elfennau corfforol a seicolegol. Mae pob bod dynol, hefyd, yn gyfuniad o emosiwn ac o ymddygiad. Mae pob un yn bersonoliaeth sy'n cynnwys agweddau, nodweddion ac arferion. Mae personoliaeth pob un yn ymddangos yn ei ymateb emosiynol ac yn ei reddfau.

Mae ymddygiad, ymateb emosiynol a phenderfyniadau yn hollbwysig wrth lunio cymeriadau mewn drama. Er mwyn llunio cymeriadau mae angen i'r dramodydd weithio'n galed i roi nodweddion tri dimensiwn iddynt, hynny yw, y bywyd a'r egni hynny sy'n nodweddu pobl go iawn. Er mwyn osgoi creu cymeriadau un dimensiwn, cymeriadau cardbord, mae angen mynd dan groen pob cymeriad, fel petai, i roi arwydd fod yna fywyd yn y gwythiennau, meddwl yn yr ymennydd, ysbryd yn y weithred ac emosiwn yn y galon. Gwrandewch, er enghraifft, ar eiriau ffyrnig Miss Julie wrth iddi ddyfaru ildio'i chorff a'i dyfodol i Jean, ei gwas, yn y ddrama *Miss Julie*:

MISS JULIE: Ydach chi'n meddwl 'mod i'n rhy wan, ydach chi? ... O ... mi hoffwn i weld dy waed di a d'ymennydd di ar y bwrdd 'na. Mi hoffwn i weld dy hen geillia' di

yn nofio mewn môr o waed fel'na ... 'rydw i'n meddwl
y medrwn i yfed allan o dy benglog di; mi hoffwn i
drochi 'nhraed yn dy fron di ... ac mi fedrwn i fwyta
dy galon di wedi ei rhostio ... 'Rwyt ti'n meddwl
'mod i'n wan; 'rwyt ti'n meddwl 'mod i yn dy garu
di am fod fy nghroth i yn awchu am dy had di; 'rwyt
ti'n meddwl fod arna' i eisio cario dy epil di dan fy
nghalon a'i fwydo fo efo 'ngwaed – esgor ar dy
blentyn di a chymryd dy enw di. Gyda llaw, be ydy
dy enw di? 'Chlywais i 'rioed mo dy gyfenw di. Go
brin fod gen ti'r un ... Mi faswn i'n 'Mrs Tŷ Cipar'
neu 'Madam Cwt-ar-y-doman' – Ti, y ci, sy'n gwisgo
fy ngholer i. Ti, y gwas, efo fy arfbais i ar dy fotymau
di – 'roeddwn i i fod i dy rannu di efo fy nghogyddes.

Mae'r casineb, yr ymffrost a'r euogrwydd yn tyfu'n fyw yng
ngeiriau ffyrnig Miss Julie. A thrwy ei geiriau mae'r cymeriad yn
tyfu'n dri dimensiwn. Mae'r geiriau, yr emosiwn, a'r weithred o
ymosod yn ddirmygus ar Jean, y gwas, yn uno yn rhythmau'r
ddeialog.

Rhaid i'r dramodydd greu cymeriadau drwy eu cyflwyno fel
personau unigryw. O ganlyniad, y dasg fydd creu pob un yn
wahanol i'w gilydd. Dylai hynny gynnwys trin y nodweddion
canlynol: corff, gweithred, meddwl, emosiwn, cymhelliant, pen-
derfyniad ac argyhoeddiad.

Mae cymeriadau yn ymdebygu i fynyddoedd iâ – ychydig sy'n
ymddangos ar yr wyneb. Mae'r rhelyw o'r golwg. Rhaid i'r
dramodydd awgrymu'r hyn sydd o dan wyneb y digwydd – dan
wyneb y dŵr, fel petai, trwy'r ddeialog trwy gyfathrach a gwrth-
daro cymeriadau.

Gwrandewch ar y ddeialog rhwng Jean, y gwas, a Miss Julie,
y foneddiges, wrth iddi hi ddod o hyd i unrhyw esgus i'w hudo
ef i'w rhwyd rywiol:

             (*Y mae Jean yn codi ei law at un o'i lygaid*)
MISS JULIE: Ga' i weld be' sydd yn eich llygaid chi?

JEAN:	O, 'dydi o'n ddim byd. Dim ond tipyn o lwch. Mi fydd o'n iawn yn y munud.
MISS JULIE:	Mae'n rhaid fod fy llawes i wedi taro'n eich erbyn chi; 'steddwch rŵan er mwyn imi'ch helpu chi. (*Y mae'n cydio yn ei fraich a'i roi i eistedd; y mae'n gafael yn ei ben a'i wthio'n ôl, yna y mae'n ceisio tynnu'r llwch allan â chornel ei hances.*) 'Steddwch yn llonydd rŵan, yn hollol lonydd (*Y mae'n taro ei law*) Dowch, gwnewch fel 'rydw i'n deud. 'Choelia' i byth nad ydi'r hogyn mawr cry' 'ma yn crynu! (*Y mae'n teimlo bôn ei fraich*) A'r fath freichiau!
JEAN:	(*Yn ei rhybuddio*) Miss Julie!
MISS JULIE:	Ia, Monsieur Jean?
JEAN:	Attention! Je ne suis qu'un homme!
MISS JULIE:	'Steddwch yn llonydd, 'wnewch chi? Dyna ni. Dyna fo wedi dod allan. Cusanwch fy llaw i a diolch imi.

Mae ei hamcanion hi'n ffrwtian o dan wyneb ei dweud a'i gwneud. Esgus yw tynnu'r lluwchyn o lygad Jean, er mwyn iddi ei feistroli a'i hudo i'w gwe dwyllodrus. Mae ei gryndod yntau'n datgelu dyfnder ei angerdd rhywiol.

Gellir awgrymu bod cymeriad mewn drama yn ymgorffori penderfyniad dan bwysau. Yn rhan gyntaf y ddrama *Miss Julie*, mae Julie yn penderfynu ei bod hi am i Jean y gwas ei meddiannu. Yn yr ail ran, mae Jean yn penderfynu dysgu gwers iddi. Mae'r ddau dan bwysau: Jean i gadw ei urddas fel gwas, a hithau i gadw'i hurddas fel boneddiges. Ond y penderfyniadau a wnânt sy'n peri iddynt wrthdaro, ac i ddangos eu hochor ac i gasáu ei gilydd yn y frwydr drasig sy'n dilyn.

Gellir dweud mai'r cymeriad neu'r cymeriadau sy'n ymgorffori'r plot a'i gynnwys. Ar y llaw arall, nid o'r cymeriadau y mae'r ddrama ei hun yn deillio, ond o'r cysylltiadau a'r gweithrediadau y maen nhw'n eu hymgorffori. A yw cymeriadau'r ddrama'n rhai real? Wrth gwrs bod angen iddyn nhw fod yn 'real', ond nid real yn nhermau byw a bod yn y byd go iawn. Maen nhw'n real i'r dramodydd yng nghyd-destun y ddrama. Gallent fod yn gymeriadau sydd wedi creu argraff ar y dramodydd yn ei fywyd bob dydd, ac sydd wedi disgyn i'w isymwybod dros dro. Ond y realiti y mae'r dramodydd yn ei roi i'r cymeriad yw'r un a gynllunnir ganddo yn ei feddwl a'i ddychymyg ac a drosglwyddir i'r sgript maes o law.

Felly, gallwn sefydlu fod yna realiti i gymeriadau, y plot, y stori gefndirol, i wrthdrawiadau ac i greisis y ddrama yn nhermau ffuglennol y gelfyddyd. Ond i ni'r gynulleidfa, sy'n derbyn amodau celfyddyd y theatr, ymddangos yn 'real' mae cymeriadau'r ddrama.

Yn ei gyfweliad â Nic Ros yn y gyfrol *Disgwl Bỳs yn Stafell Mam*, dywed Aled Jones Williams:

> A mae'r rhain, y cymeriadau yma, maen nhw'n creu byd hefo'u geiriau a dwi'n meddwl bod hynny'n bwysig. Nid disgrifio y maen nhw ond creu, amddiffyn eu hunain. Os gwnân nhw beidio siarad does 'na'm byd yna wedyn ond y mudandod. I greu byd, nid i'w ddisgrifio fo, maen nhw'n siarad.

Mae creu cymeriadau credadwy yn hollbwysig i lwyddiant drama ar lwyfan. Bydd beirniaid yr Eisteddfod yn pwysleisio hyn yn gyson ac yn tynnu sylw at enghreifftiau gwael o lunio cymeriad. Ceir cymeriadau sy'n brennaidd, sy'n ddau ddimensiwn (yn lle tri), sy'n anghyson, sy'n ddiangen, ac sy'n aneglur eu cyfansoddiad.

Dyma a ddywed Gwion Lynch a Dyfan Roberts, beirniaid y ddrama fer yn Eisteddfod Genedlaethol Meirion a'r Cyffiniau, 2009, am gynnig 'Croesor':

> Drama am ŵr yn dychwelyd at ei wraig ar ôl ffugio'i farwolaeth ei hun i bwrpas hawlio arian yswiriant ... Mae potensial di-bendraw yma i ymdrin â chyflwr meddyliol y gŵr a'r wraig a thrafod y cymhelliad y tu ôl i'r twyll – gallasai'r wraig a'r gŵr yn rhwydd ennyn ein cydymdeimlad. Ond, gwaetha'r modd, mae'r awdur yn tueddu i ganolbwyntio'n ormodol ar berthynas rywiol a threisgar y gŵr a'i wraig. Wedi sawl tudalen o regi, cymodi, ffraeo a

chymodi eto, yr ydym fel cynulleidfa'n dechrau colli amynedd. A phan fydd y ddau'n eu lladd eu hunain drwy sefyll o flaen trên ar y diwedd, nid oes waeth gennym amdanynt, i ddweud y gwir.

Mae creu cymeriadau real a chredadwy yn golygu bod angen elfen dri dimensiwn iddynt, fod ganddynt eu bywyd eu hunain o fewn terfynau realiti'r ddrama. Nid pobl real yw cymeriadau'r ddrama, creadigaethau ydynt sy'n ymdebygu i bobl real.

Er mwyn creu'r ymdebygiad yma mae angen i ddramodydd astudio pobl, astudio'r natur ddynol wrth waith mewn bywyd bob dydd, a bod yn effro i gyflawnder cymeriadaeth o safbwynt ymddygiad beunyddiol. Mae hyn yn arwain yn naturiol at y ffaith y dylai'r dramodydd ddod i adnabod ei gymeriadau'n drylwyr wrth iddo'u creu a'u caboli. Hwyrach nad oes angen iddo wybod popeth amdanynt cyn dechrau ar y broses o ysgrifennu, neu efallai y gall hynny gyfyngu ar eu tyfiant trwy'r act o greu.

Ynghlwm wrth y gair a'r weithred, wrth lunio cymeriadau y mae un elfen hollbwysig, sef y cymhelliad. Pam mae'r cymeriad yn dweud hyn a hyn? Pam mae'r cymeriad yn gwneud hyn a hyn? Pam mae'r cymeriad yn ymateb fel hyn? Pam mae'r cymeriad yn penderfynu ar hyn a hyn?

Un ffordd o ystyried sut i lunio cymhellion i gymeriad yw trwy feddwl am brif nod. Gan fod cymhelliad dramatig fel arfer yn golygu sut y bydd cymeriad yn ceisio cyrraedd ei nod, gall y brif nod fod yn gysylltiedig â chyfansoddiad y cymeriad hwnnw neu honno. Gall hefyd ddatgelu personoliaeth y cymeriad wrth iddo ef neu hi wynebu'r rhwystrau sy'n bygwth ac yn gweithio yn erbyn y cymhellion.

Dylid osgoi creu cymeriadau ystrydebol, cymeriadau sy'n gonfensiynol ac yn arwynebol eu cyfansoddiad. Yr oedd comedïau cegin byrion cynnar yr ugeinfed ganrif yn llawn o gymeriadau o'r math yma. Byddent yn adlewyrchu nodweddion ystrydebol y gweinidog, y potsiar, y plismon pentref, y sgweiar, y ciper, y blaenor atgas, y gŵr ifanc heriol, y ferch a gafodd ei cham-drin, yr hen wraig fusgrell a'r ustus creulon. Ymddangosent drachefn dro ar ôl tro. O ganol y ganrif ymlaen daeth dramodwyr fel John Gwilym Jones i greu dramâu byrion oedd yn cynnwys cymeriadau diddorol seicolegol gymhleth, ac i roi taw ar y teipiau ystrydebol.

Wrth gwrs fe geir pobol ystrydebol ym mhob cymdeithas a chyfnod. Heddiw, adlewyrchir nhw mewn cyfresi sebon ar deledu. Er mwyn ysgrifennu'n gall ar gyfer y theatr rhaid eu gochel fel y pla, oni bai mai pwrpas y dramodydd yw eu datgelu, eu dychan a'u gwawdio.

Rhaid i'r gwyliwr yn y theatr gredu mewn cymeriad. Bydd ei hygrededd yn cynyddu os yw gweithredoedd y cymeriad yn ymddangos yn gyson trwy gydol y chwarae, hyd yn oed os yw anghysondeb yn rhan o'r cymeriad. Dylai'r anghysondeb fod yn gyson.

Yn ystod y broses o lunio amlinelliad gwreiddiol drama bydd un cymeriad, hwyrach, yn sefyll allan o safbwynt rhai agweddau, ac yn nhyb yr awdur, yn egwyddorol, a chyson wrth gyrraedd ei nod. Gall hwnnw neu honno dyfu'n brif gymeriad i'r awdur. Gelwir y prif gymeriad, fel arfer, yn arwr, y cymeriad canolog, canolbwynt o gymeriad, neu hyd yn oed y brif rôl. Y prif gymeriad sydd â'r cymhellion cryfaf; ef neu hi yw'r un sy'n peri i bethau ddigwydd, un sy'n rhoi hwb i eraill ac yn rhoi hwb i weithrediadau'r digwydd.

Er enghraifft, o ddechrau'r ddrama fer *Bobi a Sami* gan Wil Sam, Sami yw'r prif weithredwr a'r cyfrwng i wthio'r ddrama ymlaen i'w huchafbwynt. Sefydlir hynny o'r eiliad cyntaf, pan mae Sami yn gosod ei awdurdod ar ei gyfaill Bobi, yn bennaf am fod ganddo fwy o synnwyr cyffredin a deallusrwydd na'i gyfaill:

SAMI: Rwyt titha'n poeni on'd wyt Bobi.
BOBI: Be ddeuda' i Sami? Sut 'teba i?
SAMI: Atab 'run fath â ddoe baswn i.

BOBI: Sut 'tebis i ddoe Sami?
SAMI: (*Yn ddiamynedd*)
        Dyna chdi eto, wn i ddim be i feddwl ohonat ti. Anghofus
        'ta di-falio wyt ti?
BOBI: P'run o'r ddau ydi gora Sami?

Ar y llaw arall, gall problemau'r prif gymeriad fod yn fwy dyrys nag eiddo'r cymeriadau eraill, a gall y problemau hynny esbonio cnewyllyn y sefyllfa, a chyfansoddiad y ddrama ar ei hyd. Er enghraifft, yn *Un Briodas* gan John Gwilym Jones mae gan Dic araith ar ddechrau'r ddrama sydd yn datgelu ei broblem fawr, sef na fedr gyfathrachu'n onest â'i wraig. Mae hynny'n rhan o thema ddyfnach y ddrama ar ei hyd. Ac mae Dic yn mynegi hyn yn gynnar yn y digwydd:

DIC: Wnes i ddim cyffwrdd â hi'r noson gynta'. Y noson gynta' wnes i ddim cyffwrdd â hi. Gorwedd, y ddau ohonom, ar ein cefnau ochr yn ochr. Dau gorff mewn gwely. Dau gorff dieithr mewn gwely dieithr. A heb gyffwrdd. Ac mi wn i pam. Nid ofn. Na, nid ofn. Nid diffyg awydd. O gwn, mi wn i pam. Pam mae'n rhaid i rai gael siarad mewn brecwast priodas fel petai'r gŵr a'r wraig – y ddeuddyn ifanc – am ruthro ar ras wyllt i wely dieithr i genhedlu plant?

Mae'n bosib i'r prif gymeriad fod yr un sy'n ailsefydlu cydbwysedd yr argyfwng. Yn hynny o beth gall darganfyddiadau pwysig a phenderfyniadau pellgyrhaeddol ymddangos o ganlyniad.

Yn *Miss Julie*, er mai trasig yw diweddglo'r ddrama, o leiaf bydd Julie, yn ei hargyfwng enbyd, yn derbyn penderfyniad Jean y gwas mai'r peth gorau fydd iddi ei lladd ei hun. Er ei bod hi mewn cyflwr meddyliol ansefydlog a bregus ar derfyn ei gwrthdaro â Jean, hi fydd yn dod â'r sefyllfa dywyll a thrist i ben trwy ei gweithred annymunol ei hun:

JEAN: (*Yn codi'r rasal a'i rhoi yn ei llaw*) Dyna'r ysgub. Cerwch rŵan tra mae hi'n olau – allan i'r 'sgubor – a ... (*Y mae'n sibrwd yn ei chlust*)

JULIE: (*Yn effro*) Diolch. Rŵan 'rydw i'n mynd i orffwys! Ond
           deudwch hyn wrtha' i – y caiff y blaenaf hefyd dderbyn
           gras. Deudwch hynny – hyd yn oed os nad ydych chi'n
           ei goelio fo.

Mewn comedi, gall mai'r prif gymeriad yw arweinydd y bobol
gall, y rhai sydd wedi eu dal mewn amgylchiadau abnormal,
neu'r cymeriad abnormal sy'n creu'r sefyllfaoedd comig ac sy'n
dioddef fel cocyn hitio'r gomedi. Yn y ddrama fer *Y Potsiar* gan
J. O. Francis, mae Tomos a Dici Bach Dwl, y potsiars, am ddal
cwningen enwog, sef yr Hen Sowldiwr. Ond mae Dafydd
Hughes y siopwr, blaenor ffroenuchel a hollalluog, am fachu'r
un pysgodyn yn gyfrwys ganol nos. Mae Tomos a Dici yn ei
gamarwain a'i dwyllo drwy roi cyfarwyddiadau anghywir iddo.
Hughes sy'n dioddef fel cocyn hitio'r gomedi felly:

TOMOS: (*Yn eistedd*) Fel hyn y mae pethau, Mr Hughes. Mi
           ddweda wrthoch chi. Mae yna gytundeb rhyngom ni yn
           y lle yma nad oes neb i dreio dal yr Hen Sowldiwr ond
           â ffyret a rhwyd.
HUGHES: Mi welaf.
TOMOS: Wel, maen nhw'n cau pob twll yn y cae, ond mae'r hen
           wningen yn dianc bob tro.
HUGHES: Ydi, mae'n debyg.
TOMOS: A wyddoch chi pam, Mr Hughes? 'Dyw cau'r tyllau
           ddim yn ddigon.
HUGHES: Ddim yn ddigon?
TOMOS: Nagyw. Rydych yn gwybod am yr hen ogof sydd lawr
           yn y cwm?
HUGHES: Ydw.
TOMOS: Mae yna dynel bach yn y pen pella iddi, on'd oes? – a
           'does neb yn gwybod i ble mae e'n arwain.
HUGHES: (*Yn cymryd diddordeb mawr*) Wel?
TOMOS: Wel, drwy'r ffenestr yna yn Carmel mae'n ddigon
           hawdd gweld, oddiwrth rediad y tir, fod y tynel yn
           arwain rhywle i fyny tua'r Cae Mawr.
HUGHES: Rwy'n gweld. Wel?

TOMOS: Rydych yn deall, ynte, beth mae'r hen wningen wedi
           wneud? Mae hi wedi cloddio drwodd i'r tynel. A dyna
           pam y mae pawb yn colli eu ffyrets.
HUGHES: Ie, wrth gwrs.

A dyna Hughes wedi ei fachu. Gwneir ffŵl o'r blaenor-siopwr
ffroenuchel wrth iddo goelio pob dim y mae Tomos yn ei ddweud
wrtho. Datgelu yw'r tric mewn comedi, datgelu ffolinebau dynol-
iaeth, gan ddysgu gwers i ni'r gynulleidfa, efallai.

Y gwrthwyneb i'r prif gymeriad yw'r llechgi neu'r llwfrgi. Ni
all drama fel arfer fod heb ei llechgi. Mae'r llechgi'n aml yn
cynrychioli'r rhwystrau sy'n wynebu'r prif gymeriad, y rhwystrau
mae'n rhaid eu gorchfygu er mwyn sicrhau llwyddiant. Mae'n
bosib mai'r llechgi sy'n achosi'r problemau a'r rhwystrau i'r prif
gymeriad o'r dechrau. Yn y ddrama fer *Seimon y Swynwr*, mae'r
foneddiges Miss Wyn eisoes wedi gweld trwy dwyll y llechgi
Seimon, ac fel pysgotwr yn chwarae â'i bysgodyn mae hi'n ei
dynnu'n araf i'w rhwyd:

SEIMON: Ydach chi'n siŵr na ddifarwch chi ddim?
MISS WYN: 'Ddifarwch chitha ddim chwaith.
SEIMON: Mi ddylwn i gael rwbath i lawr ar ddu a gwyn.
MISS WYN: Rydach chi'n ddoniol.
SEIMON: Ond mi ddylwn gael gwbod beth sy'n f'aros i. Fedra'
           i mo'ch priodi chi heb …
MISS WYN: Mi 'neith fy nhwrna i'r cwbwl.
SEIMON: Na, fydd dim angan. Fedra' i ddim aros twrniad.
           Dim ond i chi drosglwyddo'r cwbwl i mi, a mi awn
           ati rhag blaen i wneud trefniada.
MISS WYN: Ydach chi'n hapus?
SEIMON: Mi fydda i'n hapus iawn.
MISS WYN: Byddwch.
           (*Yn tywallt dau wydriad a rhoi un i Seimon*)
           I Mr a Mrs Seimon.
           (*Ei yfed ar ei dalcen*)
           Mae gin i isio gwbod sut garwr ydach chi.

Mae creu llechgi, pa mor gyfrwys bynnag yw, yn sicr o ddyrchafu pwysigrwydd a chryfhau natur a brwydr y prif gymeriad.

Mae'n amlwg y bydd rhywfaint o syniadau, egwyddorion, athroniaeth a phrofiad bywyd y dramodydd yn suddo i mewn i gymeriadau'r ddrama. Er y bydd angen i'r dramodydd guddio unrhyw brofiad a syniadaeth bersonol amlwg o'r ddrama, eto i gyd ni ellir cyfoethogi'r cynnwys heb alw ar y profiad personol hwnnw o fywyd fel sylfaen i gymeriadu. Weithiau bydd cymeriad yn dueddol o gymryd ochr foesol neu athronyddol, neu hyd yn oed safiad gwleidyddol yr awdur. Mae dramâu byrion didactig Brecht, y *Lehrstücke*, yn enghreifftiau amlwg i brofi hynny, dramâu y mae llawer o'r cymeriadau ynddynt yn llefaryddion i syniadau Marcsaidd yr awdur.

Wrth ymateb i osodiad Myrddin ap Dafydd yn *Deg Drama Wil Sam*: 'Mi roedd yr hen gapeli yn llefydd theatrig iawn ac mae Emyr Humphreys wedi deud mai pregethwr ydach chi yn y bôn', mae Wil Sam yn honni:

> Faswn i ddim yn lecio meddwl bod rhywun yn fy ystyriad i fatha'r hen bregethwrs oedd yn gweiddi dros y lle chwaith! Ond dwi'n meddwl hwyrach bod Emyr yn meddwl 'mod i'n pregethu yn yr ystyr bod 'na rwbath o dan yr elfen doniolwch 'ma, ond nad ydw i isho i hwnnw fod y peth amlyca.

Nid yw dramodydd fel arfer yn ei gwneud hi'n amlwg ei fod wedi dewis un cymeriad i fod yn lladmerydd i'w syniadau a'i ragfarnau. Gwell ganddo osgoi'r fath gymeriad, neu o leiaf wasgaru syniadau personol, os bydd angen, trwy ddatblygiad y ddrama.

Wrth i Aled Jones Williams, mewn cyfweliad â Nic Ros, gyfeirio at y cymeriad sydd yn dal i fod yn fachgen ac sydd yn ymddangos mewn nifer o'i ddramâu, mae'n cyfaddef: 'person rhwng dau fyd felly. Yr un cymeriad yna ydy o – lot ohono fo'n fi a lot ohono fo nid y fi chwaith.'

Ni ellir gorffen trafodaeth ar gymeriadaeth heb sôn am y traethydd mewn drama fer. Ymddengys pwysigrwydd y traethydd fel arfer mewn dramâu dogfennol neu ddidactig. Mae'r rhan fwyaf o ddramodwyr yn osgoi defnyddio cymeriad o'r math yma. Er hynny fe ymddengys y traethydd ar ffurf gwbl unigryw yng ngwaith rhai awduron, a hynny ar ffurf arddull fonologaidd, neu gymeriad mewn drama sydd yn traethu meddyliau cudd yn uniongyrchol wrth gynulleidfa. Mae'r math olaf yma'n ymddangos yn weddol gyffredin, a hynny er mwyn esbonio sefyllfa bersonol neu roi ychydig wybodaeth o ychwanegol ynglŷn â'r sefyllfa ddramatig. Er enghraifft, yn *Un Briodas*, medd Dic mewn araith swmpus wrth y gynulleidfa am noson gyntaf ei briodas â Meg:

> Wnes i ddim cyffwrdd â hi'r noson gynta'. Y noson gynta' wnes i ddim cyffwrdd â hi. Gorwedd, y ddau ohonom, ar ein cefnau ochr yn ochr. Dau gorff mewn gwely.

Ac yn nes ymlaen yn y ddrama, mae Meg yn codi ac yn adleisio'r un achlysur wrth y gynulleidfa:

> MEG: Y noson gynta' chyffyrddodd o ddim yna' i. Gorwedd fel pren. Dim cyffwrdd yna' i. Dim symudiad.

Mae'r ddau'n ymateb i dristwch eu cyflwr priodasol ac yn adrodd, fel cyffes, yr hyn a ddigwyddodd yn eu gorffennol.

Yn *Yr Arth,* gan Checkhov, wedi i Madam Popofa a Luka ei bwtler fynd allan, mae'r tirfeddiannwr Smirnoff yn eistedd, yn edrych o'i gwmpas ac yn siarad â'r gynulleidfa, mewn arddull sydd yn nodweddiadol ac yn dderbyniol mewn comedi:

> SMIRNOFF: Mae golwg neis arna' i, rhaid i mi ddeud, yn llwch i gyd, fy sgidia'n faw i gyd, heb 'molchi, heb gribo 'ngwallt, a gwellt ar fy ngwasgod i ... Mae arna' i ofn fod y ledi yn fy ngweld yn debyg i leidr pen ffordd.

Yma mae Smirnoff yn ymateb mewn monolog i'r sefyllfa bresennol, ac yn ei ddirmygu ei hun yn ysbryd comedïol y ddrama gyflawn. Mae hon yn dechneg gomedïol draddodiadol. Fe'i gelwir fel arfer yn araith naill ochr.

Wrth drafod natur ei ddramâu mewn cyfweliad ar dâp rai blynyddoedd yn ôl, fe gyfaddefodd Gwenlyn Parry mai o fywyd bob dydd y daeth rhai o'r cymeriadau gorau a geir yn ei ddramâu. Dywedodd ei fod: 'wedi dwyn y rhan fwyaf o stwff o fywyd bob dydd. Dyna'r unig beth rwy wedi neud yw rhoi ychydig bach o drefn arno fo.' Aeth ymlaen i gyfaddef hefyd ei fod wedi cyfarfod â rhai o'r cymeriadau hynny. Meddai:

> Mae Wilias yn *Y Ffin*, yn bod. Rois i lifft i Wilias. Mi godais Wilias wedi ei wisgo fel gweinidog, a phetha felly. Ac rown i'n gwybod, rhyw ddiwrnod, boi, mae'n rhaid i mi ysgrifennu amdanat ti. Dw i ddim yn dy nabod ti, a dw i ddim yn gwybod pwy wyt ti. A mewn gwirionedd dw i ddim isio, achos fe wna i benderfynu pwy wyt ti. Neu mi dreia i benderfynu pwy wyt ti.

Mae'n bwysig i ddramodydd astudio'r ddynoliaeth ble bynnag y bydd; yr ymadrodd Saesneg am hyn yw 'people watching' wrth gwrs. Fel y dywed Gwenlyn, gallai'r bobl rydych chi'n eu cyfarfod, yn enwedig os byddant am ryw reswm neilltuol yn creu argraff arbennig arnoch, ddisgyn i'r isymwybod ac ailgodi'n gymeriadau yn eich dychymyg. Mae'r cysyniad yma'n adlewyrchu'r hyn a fu'n gyfrwng i Pirandello lunio cymeriadau yn ei holl ddramâu, sef y cysyniad o gymeriadau'n chwilio am awdur. Meddai Gwenlyn Parry:

> Mi oedd Ifans yn *Saer Doliau* yn bod ... Roedd y dyn yn bod. Rown i wedi ei weld o. Ei weld o mewn tafarn ym Mangor. Rown i wedi ei glywed o'n siarad, yn dweud ei fod o'n mynd i brynu rhyw dŵls, a rhyw betha felly. Roedd o'n bod. A pam roedd o'n tynnu'n sylw i oedd ei fod o'n wahanol i bawb oedd yn y dafarn. Pam oedd hwn yn tynnu'n sylw fi, oedd ei fod o'n wahanol i bawb rown i wedi cyfarfod o'r blaen. Felly, rown i jest yn ei ddwyn o ac yn ei storio fo.

Gan fod y ddrama fer yn ymddangos ar un olwg yn uned gwta o brofiad, yn bortread cywasgedig, yn bictiwr cyfyng o deithi dyn, gellid disgwyl i'r dramodydd ganolbwyntio ar nifer fechan o gymeriadau i gario'r plot. Ond nid yw hynny'n wir bob tro, fel y mae nifer o ddramâu byrion yn tystio. Yn y ddrama fer *Poen yn y Bol*, ymddengys rhyw ddeg o brif gymeriadau unigol, ynghyd â nifer o grwpiau. Mae'r ddrama'n dechrau uwch-lwyfan wrth i'r prif gymeriad baratoi i gael ymdriniaeth lawfeddygol ar fwrdd ysbyty. Wrth i'r clorofform ddechrau gweithio ar ei feddwl mae'r prif gymeriad yn mynd i gysgu, ac yn y cwsg hwnnw, mae'n breuddwydio am ei ieuenctid a'r holl gymeriadau a fu'n rhan o'i fywyd ifanc. Daw'r cymeriadau hynny i lenwi cyfres o olygfeydd is-lwyfan ac i ddatgelu caleidosgop o brofiadau ei ddyddiau cynnar. Trwy gyfrwng y freuddwyd, felly, y mae'r awdur yn cyflwyno pentwr o gymeriadau ar lwyfan y theatr, a hynny o fewn rhyw hanner awr i ddeugain munud o berfformio.

Os yw'r plot (a'r stori gefndirol) yn galw am nifer sylweddol o gymeriadau, dyletswydd y dramodydd yw trefnu hyn yn synhwyrol ac yn synhwyrus o fewn cyfyngiadau'r ddrama fer. Yn *Pullman Car Hiawatha*, drama sy'n darlunio taith drên anturus o Efrog Newydd i Chicago, mae gan Thornton Wilder ddeg ar hugain o gymeriadau, sy'n portreadu trawstoriad o fywyd helbulus cymdeithas gyfan o fewn rhyw hanner awr ar lwyfan. Mae Strindberg, yn ei ddrama fer *The Ghost Sonata*, yn rhoi'r cyfle i un ar bymtheg o gymeriadau gyflwyno, trwy freuddwyd, ei weledigaeth o'r ymgais i wynebu, ac i frwydro yn erbyn uffern bywyd ar y ddaear.

Gan fynd i'r eithaf arall, os ymddengys un cymeriad yn unig ar lwyfan, gelwir y ddrama fel arfer yn fonolog. Ond nid yw hyn bob amser yn hollol wir. Yn y ddrama fer *Krapp's Last Tape*, Samuel Beckett, un cymeriad sydd ar lwyfan trwy gydol y chwarae. Ond mae'r cymeriad hwnnw'n chwarae tapiau a recordiodd ar adegau arwyddocaol yn ystod ei fywyd, tapiau am ei brofiadau ef ei hun. Yn awr, wrth iddo chwarae'r tapiau hynny, mae'n chwarae ei orffennol iddo ef ei hun. Mae'n ymateb, yn adweithio i'r hyn mae'n ei glywed, yn anesmwytho, yn gwrthdaro, yn anghytuno ac yn gresynu. Yn y bôn, ceir yma ddeialog ddramatig rhwng dau; ceir yma ddrama felly, drama fer rymus iawn.

A dyna'r ddrama fer *Y Cryfa*, gan Strindberg, a leolir mewn caffi. Mae dwy wraig, Mrs X (actores briod) a Miss Y (actores ddibriod), wedi trefnu i gyfarfod yno. Mae'r ddwy'n dadlau ynghylch y gafael sydd ganddyn nhw ar yr un dyn, yn ŵr i un ac yn gariad i'r llall. Un o'r gwragedd yn unig, sef Mrs X, sy'n siarad trwy gydol y chwarae. Monolog, feddyliech. Ond, er nad yw'n dweud gair o'i phen, mae'r ail wraig yn ymateb yn gryf, trwy ei hystumiau corfforol, i bob dim y bydd y wraig arall yn ei awgrymu. Deialog sydd yma, felly, a darn o theatr ysgytwol.

Ar y cyfan, canolbwyntio ar dynged nifer fechan o gymeriadau yw ffocws y ddrama fer. Yn y ddrama *Un Briodas*, yr olaf mewn cadwyn o ddramâu byrion gan John Gwilym Jones (*Rhyfedd y'n Gwnaed*), dau gymeriad yn unig sydd wrthi'n cynnal y digwydd. Mae'r ddau, Meg a Dic, yn cyfarfod, yn dod i nabod ei gilydd, yn caru, yn priodi, ac yna'n diflasu. Mae'r digwydd rhwng y ddau yn symud trwy amser a gofod, i wahanol rannau o'r llwyfan. Datgelir hanes eu bywydau mewn golygfeydd byrion, ac felly nid yw'r chwarae'n disgyn yn undonog i rigol gronolegol rhwng dau gymeriad. Mae'r dramodydd yn ein diddori ac yn ein hadlonni trwy rym gwrthdaro'i ddau gymeriad.

Oherwydd byrder y ffurf, ac er nad oes amser i ddatgelu'n raddol natur y cymeriadau mewn drama fer fel y gellir ei wneud yng nghyfansoddiad a datblygiad drama hir, rhaid eu cyflwyno mewn modd cyfrwys a chelfydd o'u hymddangosiad cyntaf un. Rhaid gweu eu nodweddion trwy'r hyn a ddywedant a'r hyn a ddywedir gan eraill amdanynt i mewn i'r ddeialog heb wthio ffeithiau yn amlwg i'r golwg. Yn *Un Briodas*, nid cyflwyno ffeithiau moel am eu cefndir a wna'r dramodydd gydag ymddangosiad cyntaf y ddau gymeriad, ond yn hytrach fe'u ceir yn gwrthdaro ar ddechrau eu priodas broblematig. Fel y mae'r gwrthdaro'n cynyddu rhyngddynt ar y llwyfan moel, dychwelwn mewn amser at ddechrau eu carwriaeth, a dim ond ar ganol y ddrama y cawn wybod am eu carwriaeth gynnar ac am eu nodweddion fel unigolion. Dyma olygfa o ganol y ddrama wrth iddynt gyfarfod am y tro cyntaf:

DIC: Dyma'ch darn siocled chi.

MEG: Y peth dwytha' ddeudodd Mam wrtha' i cyn i mi adael y tŷ oedd am imi ofalu peidio â chymryd dim gan ddyn diarth.

DIC: Dic Puw ydi f'enw i. Ugain oed. Unig fab John a Mary Puw, Hafod Wen, Penrorsedd, Sir Gaernarfon. Darllen Ffiseg yng Ngholeg y Brifysgol, Bangor.

MEG: Darllen Ffiseg ?

DIC: University Challenge. Reading Physics. Reading History. Reading Biology. Swnio gymaint mwy Rhydychenaidd on'd ydi? A rŵan, pwy ga' i ddeud wrth mam sy'n bwyta fy siocled i?

MEG: Mae'n well gen i un efo cnau ynddo fo.

DIC: Pethau caled ... peryg' i ddannedd.

MEG: Meddyliwch am gynffonnau ŵyn bach yn troi'n gnau. Digri 'nte?

DIC: Osgoi rŵan, on'd e'?

MEG: Osgoi?

DIC: Llenwi'r ffurflen.

MEG: Ffwr' chi, 'ta.

DIC: Enw – mewn llythrennau bras.

MEG: Meg Owen.

DIC: Cyfeiriad?

MEG: 21 Dôl Wen, Llan-y-groes, Sir Gaernarfon.

DIC: Llan-y-groes, ia? Rhyfedd inni fod heb gyfarfod yn rhywle o'r blaen. Oed?

MEG: Ugain.

DIC: Enw'r tad?

MEG: John Owen.

DIC: Mam?

MEG: Margaret Owen.

DIC: Gwaith?

MEG: Stryffaglio dysgu sut i ddysgu plant bach.

DIC: Handi iawn.
MEG: Handi?
DIC: Erbyn y cewch chi rai eich hun, on'd 'te?
MEG: (*Yn syml, ddidwyll iawn*) Ia.
       (*Saib*)

Mae gan Meic Povey hyn i'w ddweud ar y pwnc: 'hyd yn oed mewn drama gyda hanner dwsin o gymeriadau, a'r rheiny'n weddol gyfartal o ran maint, mae'n hanfodol fod "taith" – ac uchelgais – un ohonynt yn fwy na'r gweddill.' Gall hynny fod yn wir mewn drama hir. Yn *Un Briodas*, yr hyn sy'n rhoi grym a diddordeb yw bod gan y ddau gymeriad fel ei gilydd 'daith' – ac uchelgais – gyffelyb, hyd at ryw bwynt. Dic sy'n gwyro oddi wrth y nod o gadw'r briodas yn gyflawn. Y prif rwystr yn y ddrama yw anallu'r ddau i gyfathrebu â'i gilydd. Dyna un rheswm pam mae Dic yn chwilio am rywun arall i rannu ei fywyd.

Ceir ffenomenon anghyffredin yn y drasiedi fer *Marchogion y Môr* gan Synge, gan nad yw'r prif gymeriad, os gallwn ei alw felly, yn ymddangos o gwbl ar lwyfan. Er hynny mae ei bŵer a'i ddylanwad i'w deimlo'n aruthrol trwy gydol y digwydd. Y prif gymeriad yw'r môr, y môr sydd wedi effeithio cymaint ar fywydau'r trigolion a bortreadir yn y ddrama. Y mae datblygiad y digwydd yn nwylo pedwar cymeriad: Moira y fam, a'i phlant, Bartley, Cathleen a Nora. Dwyseir amgylchiadau'r drasiedi gan gorws o alarwyr ar ddiwedd y ddrama, ac eto i gyd, trwy gydol y chwarae, y môr a'i rym yw'r dylanwad ar bob dim a wneir ac a ddywedir.

Yn ei ragymadrodd i *Chwe Drama Fer* ei frawd Wil Sam, mae Elis Gwyn Jones yn disgrifio fel y byddai ei frawd yn llythyru ag ef yn y coleg, a'r llythyrau hynny'n cynnwys disgrifiadau manwl o gymeriadau'r fro, ac fel y tyfodd y cymeriadau hynny yn sylfaen i storïau: 'Mewn du-a-gwyn magent briodoleddau newydd, ond pa mor ddychmygol neu beidio oedd y pethau a ysgrifennid amdanynt, yr oedd eu cysondeb fel cymeriadau yn parhau. Y rhai mwyaf lliwgar oedd yn ymddangos amlaf yn y llythyrau, a dyna symud yn nes at fyd y ddrama trwy ddethol personau iddi.' Mae Elis Gwyn yn mynd yn ei flaen i ddweud mai 'diwylliant y gymdeithas y magwyd ni ynddi oedd gweld pawb yn gymeriad. Deuai pobl yn gymeriadau yn yr ystyr o fod yn destun sgwrs a stori ryw broses o fabwysiadu.' Rhoi bywyd i gymeriadau trwy rym eu deialog a thrwy awgrymu eu nodweddion a'u gweithrediadau a wna'r awdur.

Mae gan bob cymeriad mewn drama ei nod, yr hyn mae am ei gyflawni, neu'r hyn mae'n anelu ato. Ar yr un pryd mae yna rwystr neu rwystrau sy'n gwthio yn ei erbyn. Y rhwystrau hyn sy'n ei wynebu wrth iddo/iddi geisio cyrraedd y nod.

Mae'n siŵr y bydd ambell ddramodydd yn ei chael hi'n anodd dygymod â gofynion ambell gymeriad sy'n ymddangos yn y dychymyg ac yn galw am le yn y plot. Mae yna alegori fach fachog yn un o storïau byrion Pirandello, lle daw nifer o bobol at ddrws awdur a gofyn iddo eu cynnwys yn ei stori. Mae'r awdur yn gorfod eu gyrru ymaith am nad oes ganddo le addas na chymwys iddynt ac am nad yw stori yr un ohonynt yn ffitio i'w gynllun ef. Mae yna wers fach i'r dramodydd sydd wedi gorlenwi'r dychymyg â chymeriadau taer a dyrys. Y wers yw y dylai'r dramodydd glirio'r meddwl o orlwyth o ddeunydd, cymryd hoe, a dechrau pan ddaw cyfle newydd i agor drws y dychymyg.

Byddai'n ymarfer gwerth chweil, wrth ddechrau gyda'r grefft, ysgrifennu golygfa'n cynnwys dau gymeriad, a'r ddau gymeriad â'u nod unigryw eu hunain yn y sefyllfa y maent ynddi. Ar ben hynny, gellid dyfeisio rhwystrau a fyddai'n gweithio yn eu herbyn ac yn eu gorfodi i wneud penderfyniadau dramatig er mwyn ceisio dianc o'r argyfwng.

Mae'n ddiddorol gwybod bod gan Stanislavski sylwadau gwerthfawr ar nodweddion y nod a'r rhwystr yn ei ymarferion ar gyfer actorion sy'n paratoi eu cymeriadau ar gyfer perfformiad. Mae e'n nodi bod gan bob cymeriad nod a rhwystrau ym mhob golygfa mewn drama a bod angen i'r actor baratoi strategaeth ar gyfer darganfod y nodau a'r rhwystrau hynny. Byddai creu golygfeydd gan gynnwys nodau'n unig i gymeriadau, heb fod ganddynt rwystrau i'w hwynebu a'u gorchfygu, yn cynhyrchu drama go anniddorol ei heffaith ar lwyfan.

Mae'n bwysig ystyried cymeriadau anghyffredin. Mae dramâu mydryddol a symbolaidd yn dueddol o fagu cymeriadau symbolaidd neu arallfydol. Mae dramâu byrion, symbolaidd Yeats yn orlawn o gymeriadau o'r math yma, cymeriadau sy'n rhithiau, neu'n bwerau.

Ceir dramâu tebyg gan feirdd-ddramodwyr yn y Gymraeg. Drama o'r math yma yw'r ddrama fer *Meini Gwagedd* gan Kitchener Davies. Rhithiau yw'r pum cymeriad: Gŵr Glangorsfach a'i ddwy ferch, Mari a Shani; y ddau frawd, Ifan a Rhys, a'r ddwy chwaer, Elen a Sal. Mae'r dramodydd yn eu disgrifio fel: 'Rhithiau ... ar grwydr o'u beddau, ac ar aelwyd Glangors-fach ar nos ŵyl Fihangel yn unrhyw un o flynyddoedd y ganrif hon.'

Er mwyn cloriannu'r broses o greu cymeriad a'i osod ym mhatrwm gweithredu'r ddrama, dyfynnir geiriau John Gwilym Jones o feirniadaeth eisteddfodol ar y ddrama fer yn Hen Golwyn, 1941:

Dyma briod waith dramodydd – trwy air a gweithred cyfoethogi adnabyddiaeth ei gynulleidfa o'i gymeriadau; gofalu bod popeth a ddywedant a phopeth a ddywedir amdanynt a phopeth a wnânt yn ychwanegiad sylweddol at swm gwybodaeth cynulleidfa ohonynt. Dyma ddeuparth o'r 'symud' y clywir cymaint amdano mewn cysylltiad â drama – y camu pendant di-droi'n ôl sydd o'r diwedd yn cyrraedd eithaf y ddrama ac yna'n peidio. Cyfuniad o sgwrsio a gwneud rhywbeth yw'r 'symud' i gyd.

DEIALOG AC IAITH

Y ddawn i ysgrifennu deialog dda yw trysor pennaf y dramodydd. Trwy'r ddeialog mae'n mynegi (gan gymryd yn ganiataol bod cyfarwyddiadau llwyfan yn rhan o gynnwys deialog) pob dim fydd ei angen ar gyfer cyflwyno'r ddrama i ddwylo'r actor, y cyfarwyddwr a'r technegydd i'w ddehongli yn nhermau'r theatr. Nid yw ysgrifennu deialog drama yn waith hawdd o bell ffordd. Dyma sylwadau J. D. Miller mor bell yn ôl ag Eisteddfod Genedlaethol Aberystwyth, 1952, wrth agor y drafodaeth â'r geiriau hyn o'i feirniadaeth ar y ddrama fer:

> Nid yw mwyafrif yr ymgeiswyr wedi 'clywed' eu dramâu wrth eu hysgrifennu. Hyn sydd i gyfrif am ddeialog annaturiol a chwydd-edig. Yn rhy aml yr awdur sy'n siarad trwy ei gymeriadau heb amrywiaeth i greu cymeriadau. Ni newidir y dull o gyflwyno teimlad dwys a dyfnder meddwl. Nid yw distawrwydd yn cael sylw fel rhan o ddeialog.

Mae'r sylwadau cryno hyn yn cyfeirio at wendidau gweddol gyson yn y sgriptiau drama a anfonir i gystadlaethau ysgrifennu drama yn yr Eisteddfod Genedlaethol. Yr allwedd i wella'r gwendidau hyn yw trwy astudio meistri'r grefft yn fanwl – gwaith awduron fel John Gwilym Jones.

Gwrandewch am foment ar y ddeialog ganlynol ar lwyfan eich meddwl. Dyma'r ddeialog rhwng Meg a Dic ar ddechrau *Un Briodas*:

MEG: Wyt ti ...?
(*Saib*)
DIC: Deud rhywbeth?
MEG: Na.
(*Saib*)
DIC: Mynd i ofyn rhywbeth 'roeddet ti?
MEG: Hidia befo.
(*Saib*)
DIC: Mynd i ofyn oeddwn i'n dŵad adra ar f'union heno, ia?
MEG: (*Dim ateb*)
DIC: (*Yn mynnu ateb*) Ia?
MEG: (*Dim ateb*)
DIC: O'r gora 'ta. Yr ateb ydi, nag ydw.

MEG: (*Gosodiad*) Nag wyt.
DIC: Nag ydw.
       (*Saib*)
MEG: Ble'r wyt ti'n mynd?
DIC: Be' ti'n feddwl, ble'r ydw i'n mynd?
MEG: Deud rhywle – Llandudno, Beddgelert, Bangor ... rhywle ...
DIC: Pa well fyddi di?

Mae'r ddeialog hon yn y lle cyntaf yn dangos fod yna ddau lais unigryw yn dadlau efo'i gilydd – Meg am ofyn cwestiwn, ond yn ofni'r ateb, a Dic yn canolbwyntio ar ddarllen y papur ac yn teimlo'n anniddig am ei fod yn cael ei groesholi. Mae'r sgwrs gwta rhyngddynt yn adlewyrchu'r tyndra sydd yn eu perthynas. Mae'r seibiau'n dangos diflastod eu cyfathrach. Mae Dic yn amharod i ateb cwestiwn Meg. Mae Meg yn ofni gofyn iddo. Mae'r ddau yn cuddio'r tu ôl i'w hamddiffynfeydd. Cyn i Meg agor argae'r ddeialog, a'r tyndra, wrth ddweud 'Llandudno', mae hanner y ddeialog hyd at y pwynt yna yn seibiau, ac yn fater o 'ddim ateb'. Dyma ddeialog feistrolgar. Dyma'r math o ddeialog y dylid ei hastudio gan ddarpar ddramodwyr, a'i hastudio'n ofalus.

Meddai Saunders Lewis yn ei ragair i'r ddrama *Y Tad a'r Mab* gan John Gwilym Jones:

> A bod neb yn gofyn beth yw cuddiad cryfder Mr Jones, fy ateb cyntaf i fyddai: clust. Efallai mai dyna gyfrinach pob dramaydd da. Clust (yn y frawddeg hon) yw'r ddawn i lunio deialog sy'n argyhoeddi'r gynulleidfa nad llunio a fu, ond clustfeinio a chofnodi. Stamp y gwir ar ddeialog.

Mae deialog yn cynrychioli iaith lafar. Mae dramodydd yn ysgrifennu geiriau i'w clywed yn hytrach na'u gweld. Dyma'r gwahaniaeth rhwng drama a ffurfiau eraill ar fynegiant geiriol. Fel y dywedodd J. Kitchener Davies yn ei feirniadaeth ar y ddrama un act yn Eisteddfod Genedlaethol Aberteifi, 1942:

Rhywbeth i'w synhwyro yw'r gwahaniaeth rhwng siarad cymer-
iadau nofel a siarad cymeriadau drama. Y llygad sy'n clywed
areithiau mewn nofel; y glust sy'n clywed areithiau drama – a'r
ddau glywed tan amodau llwyr wahanol.

Wrth ysgrifennu, rhaid i'r dramodydd glywed synau, synau'r
iaith lafar yn y ddeialog, a rhythmau'r ddeialog o fewn unedau o
weithredu. Cymerwch, er enghraifft, y ddeialog brin ond miniog
rhwng Mrs Roberts a Mrs Jones yn *Y Fainc* gan Wil Sam wrth
iddynt sylwi bod dyn dieithr yn eistedd ar fainc 'sanctaidd' y
pentref:

MRS ROBERTS:	Wedi newid mae o, ella fod o am ei gneud hi am trwyn twmffat.
MRS JONES:	*Os* eith o
MRS ROBERTS:	Os codith o.
MRS JONES:	Os bywith o.
MRS ROBERTS:	Sgynno fo arth?
MRS JONES:	Go brin.
MRS ROBERTS:	Beth am fynd i holi?
MRS JONES:	Ia, holi, mi awn i holi.
MRS ROBERTS:	Mainc ni ydi hi.
MRS JONES:	Mi awn i holi.
MRS ROBERTS:	Er cof am John Jôs yr Eco.
MRS JONES:	Yr unig fainc sy' gynnon ni.
MRS ROBERTS:	Ar 'n helw.
MRS JONES:	A'r nialwch yna yn 'i llygru hi.
MRS ROBERTS:	Holi 'di gora.
MRS JONES:	Ydi o beidio bod wedi marw?
MRS ROBERTS:	Dyna sy'. 'Ton i'n ddwl.
MRS JONES:	Tydi o ddim yn symud.
MRS ROBERTS:	Byj.
MRS JONES:	S'gynno fo deulu?
MRS ROBERTS:	Dowch i holi.
MRS JONES:	Holi 'di gora.

Yn rhagair Elis Gwyn Jones i'r ddrama *Y Dyn Swllt* gan yr un
dramodydd, mae'n cyfeirio at natur y mynegiant:

yn y dramâu yn y casgliad hwn gellid dweud, nid yn unig fod y geiriau'n bwysig – ac y maent – ond eu bod yn amlach na pheidio yn rhoi bodolaeth hefyd i'r cymeriadau ... Gellid dyfynnu'n ddiderfyn o'r *Dyn Swllt* i gyfleu cyfoeth a chadernid (a chywirdeb) y siarad.

Yn y rhagymadrodd i'r ddrama fer *Dinas Barhaus* mae Elis Gwyn Jones yn cyfeirio at natur deialog y dramodydd drachefn. Meddai:

> Yr iaith fel y llefarwyd hi efallai am ganrifoedd ydyw'r iaith yr hoffai'r awdur ei chlywed yn ei ddramâu ... Cyfoethogwyd iaith Eifionydd gan ardaloedd o'i chwmpas, a dyma gefndir y dramodydd ... Cefndir cyfoethog i un â'i glust yn fyw i ffordd pobl o siarad, ac a ysgrifennodd ei holl ddramâu gyda diddordeb tanbaid yn y siarad hwn ... Ysgrifennu yr hyn a glywodd y mae, neu yr hyn y gellir ei glywed heddiw, a rhoddir lle anrhydeddus iawn i ieithwedd ecsentrig ambell gymeriad ... Weithiau, felly, y mae gair Saesneg yn fwy cywir a thriw i'w bwrpas, ac yn fwy Cymreig hefyd nag y byddai gair Cymraeg.

Er enghraifft, dyma Mistar Pound y banc yn siarad: 'Mae'r head office yn pwyso arna' i,' a 'Mi welaf eich point chi'.

Felly, i raddau helaeth, crefftwr deialog yw'r dramodydd. Medd Aled Jones Williams mewn cyfweliad gyda Nic Ros yn y gyfrol *Disgwl Bỳs yn Stafell Mam*:

> Ydw i'n gwbod beth dwi'n mynd i'w ddeud? Nac ydw. Pan fydda i wedi cael gafael ar beth mae'r cymeriad yn ei ddeud, mae hwnna a'r cymeriad yn un. Maen nhw'n deud beth maen nhw'n deud ac nid beth fyddwn i'n licio iddyn nhw ddeud.

Mewn cyfweliad â'r awdur, meddai Gwenlyn Parry:

> Dw i wedi dweud wrthych chi bo fi'n dwyn. Mi dw i'n dwyn ac yn storio. Pan dw i'n creu cymeriad, dw i wedi penderfynu yn union fel pwy mae o'n siarad. Ydy hwn yn siarad fel Wncwl Guto? Ydy hwn yn siarad fel nhad? Nacdi. Mae hwn yn siarad

fel Wil Napoleon. Hynny yw, mi dw i'n dwyn y patryma iaith, a
dyna'r unig ffordd alla i greu cymeriad, ydy trwy gopïo.

Mae deialog yn wahanol i ymgom. Ymgom yw'r hyn sy'n
digwydd rhwng pobl ar y stryd, neu yn y gegin, neu ar y bws.
Cyfathrach uniongyrchol ydyw, sgwrs fyrfyfyr rhwng pobol sy'n
mynegi'r ffordd maen nhw'n byw eu bywydau cymdeithasol a
phersonol. Yn ei ffurf lenyddol mae deialog mewn drama yn
rhywbeth hollol wahanol. Nid yw'n ddynwarediad o ymgom,
hyd yn oed pan mae'n ymddangos ar yr wyneb yn realistig. Mae
ymgom ddigymell fyrfyfyr yn llawn bylchau ac ymyriadau,
ebychiadau ac anadliadau. Byddai'n ymarfer diddorol i unrhyw
un sydd am ysgrifennu deialog drama fynd ati i recordio sgwrs ac
ymgom ddigymell rhwng pobol ar y stryd, a nodi amhurdeb y
llafar.

Gall deialog fod yn naturiolaidd, yn farddonol neu'n
brydyddol. Sylwch ar y gwahaniaeth rhwng arddull a rhythmau'r
deialogau canlynol:

1. *Y Potsiar* gan J. O. Francis

MARGED:	Nos da, Mary Jane. Cer di i gysgu nawr.
TOMOS:	Nos da, merch i.
MARY JANE:	Nos da, mam; nos da, nhad.
MARGED:	(*yn troi at Tomos*) Ge'st ti ddigon?
TOMOS:	Do.

2. *Wal* gan Aled Jones Williams

ALJI:	Pa ffor'?
EDDY:	Am 'n ôl!
ALJI:	I ni gael hiraethu.
EDDY:	Ymlaen!
ALJI:	I ni gael breuddwydio.
EDDY:	Stop! Dan ni'n ôl lle ddaru ni gychwyn.

ALJI: Nac ydan! Y diwadd ydy fan hyn!
EDDY: A duw uwch 'n penna ni'n gwenu.

3. *Meini Gwagedd* gan Kitchener Davies

ELEN: (*â gwên*) Fe gawn ninnau ddau enllyn ar y dafell
                   – rhent isel, les hir – rhaid wrth les hir er mwyn y
                   plant ...
IFAN: Y plant fydd yn ffermio'r dyfodol, nid ni ...
RHYS: Fe gawn ni'n gwala tra fyddwn ni ...
ELEN: a gweddill, i gychwyn y plant yn eu rhych ...
SAL: Fe wnawn bres i brynu'r lle-bach neu i gymryd
                   fferm fawr i'r plant, fel bo preseb a rhastl yn llawn
                   iddyn nhw.

Er bod deialog drama ar brydiau'n ymddangos yn realistig,
hynny yw yn debyg i iaith ymgom yr hyn a glywir bob dydd, nid
felly y mae o'i dadansoddi ar bapur, a'i lleisio gan actorion.
Y peth cyntaf i'w nodi yw bod iaith deialog drama yn tarddu
o ddychymyg y dramodydd, a bod y dramodydd wedi llunio'r
ddeialog honno er mwyn crisialu cymeriad, cyfathrach cymeriad,
cyflwr ac adwaith emosiynol cymeriad, a gwrthdaro cymeriadau
â'i gilydd. Y mae'r ystyriaethau hyn i gyd yn cyfeirio at gynllunio
a disgyblu, llunio a thrin geiriau ac ymadroddion ac areithiau
ffurfiol ac anffurfiol cymeriadau ym mhatrwm digwydd a gweith-
redu strwythur dramatig y plot. Saunders Lewis ddywedodd:
'Nid iaith llyfr yw iaith rydd drama. Y mae rhythmau clywadwy
a miwsig llafar o angenrheidrwydd yn ofynnol yn y theatr.'
    Cafwyd geiriau doeth gan John Gwilym Jones ar y testun hwn
yn ei feirniadaeth ar y ddrama fer yn Eisteddfod Genedlaethol
Bae Colwyn, 1947:

Mae'n rhaid i ddramodydd fod mor gynnil a dethol ei iaith â
bardd. Y duedd yw defnyddio iaith rywsut-rywsut i gomedi, gan
geisio, mae'n debyg, efelychu'r iaith lafar; a iaith ffug-urddasol i
drasiedi, gan geisio, mae'n debyg, efelychu'r iaith llyfr a ddefnyddir

gan rai ohonom ar achlysuron dwys. Ond nid efelychu a wna
celfyddyd, ond cyfleu; nid gwneud dau a dau yn bedwar, ond eu
gwneud yn bump.

Edrychwn ar nifer o enghreifftiau o wahanol fathau o ddeialogau
mewn dramâu byrion. Nodir y gwahanol fathau o batrymau rhyth-
mig ym mhob deialog gan ystyried sefyllfa a chymeriadaeth.

Dyma ddeialog Eddy ac Alji, y gweithwyr ger y wal, wrth
iddynt ddarganfod ambarél mewn twll yn y wal, yn y ddrama fer
Wal:

ALJI: S'a rwbath yn croesi dy feddwl di rŵan?
EDDY: Croesi meddwl i ... ! Am yr ambarél 'lly?
ALJI: Ia ... Am yr ambarél 'lly ...
         (*Eddy yn pendroni. Troi a throi yr ymbarél*)
EDDY: Glaw?
ALJI: Ti 'im yn meddwl 'i fod o'n beth od ... Fod rhywun 'di
         cuddiad ambarél o dan blasdar a phapuro dros hwnnw ...
         Be' ti'n feddwl o'dd 'i gymhelliad o?
EDDY: 'I gym...
ALJI: Motive.
EDDY: Mot...
ALJI: Pam roddodd o ambarél yn y wal?
EDDY: Rhag tamprwydd?
ALJI: Rhag tamprwydd?
EDDY: Ambarél yn cadw'r wal yn sych ...
ALJI: Mi dduda i w'tha ti ... Er mwyn i rywun ryw ddiwrnod
         ddŵad o hyd i'r ambarél yn y wal a wedyn holi'r cwestiwn
         – Pam roddodd 'na rywun ambarél yn y wal?
EDDY: Dwi 'im yn gwbod! ... Pam roddodd 'na rywun ambarél
         yn y wal?
ALJI: Ti'n iawn ... Pam roddodd 'na rywun ambarél yn y wal?
EDDY: Wn inna ddim chwaith ...
ALJI: Iesu Grist...! Mi roddodd 'na rywun yr ambarél yna yn y
         wal gan wbod y bydda 'na ryw wancars fel ni yn dŵad i
         fama ca'l hyd iddo fo ... A dechra holi ... pam roddodd
         'na rywun ambarél yn y wal ... Dyna chdi pam ...
EDDY: Wel dyna chdi uffarn o beth dan din i 'neud ...

ALJI: Mond hynny fedri di ddeud …
EDDY: Os 'na fwy i' ddeud? … Watja hyn 'ta!

Mae'r ailadrodd yn creu undod rhythmig i'r ddeialog, a'r un pryd yn dangos twpdra Eddy yn wyneb cwestiynu Alji, ac ar ben hynny yn creu elfen ogleisiol o hiwmor yn y sefyllfa.

Dyma'r ddeialog rhwng Crysmas Huws, y siopwr, â nifer o blant sy'n ei holi yn y siop ar ddechrau *Y Dyn Swllt*:

CRYSMAS:	Clap o fferis i'r cynta ddyfyd fy enw i'n llawn.
PLENTYN:	Mr Crysmas B. Huws, VC.
CRYS:	Be 'di'r 'B'?
PLANT:	Bovril.
CRYS:	Twt!
PLENTYN:	Beiro.
CRYS:	Naci.
PLENTYN:	Benjamin.
CRYS:	Ia, reit dda. Rŵan deudwch f'enw i'n llawn.
PLANT:	Mr Crysmas Benjamin Huws VC.
CRYS:	Be 'di'r VC?
PLANT:	Very Crysmas.
PLENTYN:	Medal.
CRYS:	Ia, lle ces i hi?
PLANT:	Yn y Rhyfal.
CRYS:	Pwy oedd yn cwffio?
PLANT:	Y *Germans* yn erbyn y *Great British* – ni'n ennill.
CRYS:	Ia, cwffas ofnadwy oedd honno.
PLENTYN:	Deudwch sut ceusoch chi'r VC.
CRYS:	Yn Valparaiso yn Sbaen roeddan ni.
PLENTYN:	Nid yn Sbaen mae Valparaiso.
CRYS:	Reit dda rŵan …

Sylwer bod y ddeialog yn cyflwyno'r prif gymeriad a'i nodweddion drwy holi ac ateb digon naturiol y plant. Mae yma holi ac ateb rhythmig sy'n cyfleu ychydig o hiwmor ysgafn trwy dafodiaith ddeniadol i'r glust o fewn uned o ddeialog gyflawn.

Yn *Yr Arth* mae'r tirfeddiannwr, Smirnoff, yn galw ar Madam Popofa i dalu dyled ei diweddar ŵr iddo. Mae hyn yn ennyn ffrwgwd a gwrthdaro ffyrnig rhwng y ddau gymeriad styfnig hyn:

SMIRNOFF: Byddwch cystal â pheidio gweiddi.
POPOFA: Nid fi sy'n gweiddi; chi sy'n arthio. Gadwch lonydd i mi.
SMIRNOFF: Talwch chi'r arian, mi â inna i ffwrdd.
POPOFA: Thala i mo'r arian.
SMIRNOFF: O, gnewch, mi wnewch, mym.
POPOFA: Chewch chi'r un ddimai goch, tae hynny ddim ond i'ch sbeitio chi. Waeth i chi adael llonydd i mi.
SMIRNOFF: 'D oes gin i mo'r hyfrydwch o fod yn ŵr i chi nac yn ddarpar-ŵr ychwaith; felly, peidiwch â chodi'ch cloch a chodi reiat, os gwelwch chi'n dda. (*Yn eistedd*) Dda gin i mo hynny.
POPOFA: (*Yn tuchan ac yn chwythu yn ei llid*) Ydach chi'n eiste'?
SMIRNOFF: Ydwyf, yn eiste' i lawr.
POPOFA: 'R wy'n gofyn i chi fynd.
SMIRNOFF: Rhowch yr arian i mi, 'ta. (*Yn ddistaw*) O, 'r ydw i'n ddig.
POPOFA: Fynna i ddim siarad â phobol mor ddigywilydd. Byddwch cystal â mynd o'r tŷ 'ma. (*Distawrwydd*) Ydach chi ddim am fynd?
SMIRNOFF: Nag ydw i.
POPOFA: Nag ydach?
SMIRNOFF: Nag ydw i.
POPOFA: O'r gora 'ta. (*Yn canu'r gloch*)

Mae'r ddeialog yn adlewyrchu sefyllfa felodramatig y gwrthdaro ffyrnig rhwng dau gymeriad cryf eu hegwyddorion. Mae styfnig-rwydd y ddau yn ychwanegu at arddull o ffars, ac mae rhythmau'r ddeialog yn adlewyrchu'r haen emosiynol sydd dan wyneb y digwydd. Mae strwythur y ddeialog yn dangos bod y ddau gymeriad mor anfodlon â'i gilydd i ildio, hithau'n gwrthod talu ac yntau'n gwrthod gadael.

Mae deialog bob amser yn symud ymlaen, yn anelu at ddyfodol, ac yn ei thro yn cynhyrchu mwy o ddeialog. Nid mater o lunio cyfres o gwestiynau a disgwyl neu ddyfeisio atebion yw deialog, byddai hynny'n orchwyl ac yn ddyfais negyddol, ac yn syrffedus i wrando arni.

Mae egni drama yng nghrynswth ei deialog. Mae'r digwydd yn gwthio tuag ymlaen yng nghyfansoddiad y ddeialog. Ond nid rhyw fân siarad na chlebran yw deialog drama. Rhaid i'r ddeialog fod ynghlwm wrth gyrraedd nod y cymeriad.

Mae deialog mewn drama yn fath o weithredu. Mae'r cymeriad sy'n llefaru yn gweithredu. Mae'r hyn y mae'n ei ddweud yn rhyw fath o weithred. Os yw llafar yn ffurf ar weithredu, ac os yw gweithredu yn ganolog i'r hyn a elwir yn ddrama, yna rhaid rhoi blaenoriaeth i ysgrifennu deialog wrth ystyried y grefft o greu drama. Mae deialog ddramatig yn cynrychioli pobol yn siarad â'i gilydd ac yr un pryd yn gweithredu.

Er bod deialog ddramatig yn greadigaeth unigryw ar bapur, pan mae'r actor yn llefaru'r ddeialog honno, rhaid iddi ymddangos yn ddigymell ac yn fyrfyfyr yn y cyd-destun dramatig ar lwyfan. Beth bynnag yw arddull yr ysgrifennu, rhaid i'r llafar fod yn fyw ac ymddangos yn reddfol o foment i foment. Nid yn unig y mae'r ddeialog yn cynrychioli'r weithred (y syniad, y teimlad) ond y ddeialog *yw'r* weithred.

Ystyriwn hefyd y modd y mae un cymeriad, trwy'r ddeialog, yn effeithio ar gymeriad arall, yn dyladwadu arno, ac yn ymateb iddo. Mae'r cydweithredu, y cydweithio rhwng cymeriadau, yn gwthio'r ddrama ymlaen. Mae'r geiriau y bydd un cymeriad yn eu defnyddio wrth siarad â'r llall yn dylanwadu ar y modd y gwthir y ddeialog i uchafbwynt dadl, gwrthdaro neu greisis. Yn y gomedi fer *Dringo yn yr Andes* gan Emyr Edwards, o'r foment mae Iolo'n cael ei eni mae ei rieni yn ei gyflyru i dyfu'n rhan o'r gymdeithas Gymraeg. Yn y ddeialog ganlynol o'r ddrama, gwelwn weithredoedd pob cymeriad yn ei dro yn gwthio'r olygfa yn ei blaen:

IOLO:	Roeddwn i'n dal mewn cewyn, a diolch am hynny, wrth i mi ymateb yn gachyddol i wamalu siwgwraidd eu ffrindie nhw.
TAD:	Drychwch fel mae e'n cerdded. Dangos iddyn nhw, Iolo ap Llywarch. Dangos fel rwyt ti'n gallu brasgamu.
IOLO:	Brasgamu, myn uffern i! Cael fy llusgo o un aelwyd i'r llall i berfformio fel mwnci Cymraeg.
MAM:	Un goes o flaen y llall! Dyna ti, Iolo ap Llywarch. Dangos fel rwyt ti'n mynd i goncro'r byd.
IOLO:	Concro'r byd? (*Yn cael syniad*) Dyna fe … dyna'r nod … dyna amcan fy mywyd … concro'r byd, fel Dewi Pws.
TAD:	Look here! This is little Iolo.
MAM:	Little Iolo ap Llywarch. Isn't he clever!
IOLO:	Rw i eisoes yn casáu bod yn byped.
TAD:	Say Iolo!
IOLO:	Lolo.
TAD:	He's a Welsh-speaking baby already, you know.
IOLO:	Rw i'n teimlo fel rhyw freak, myn diawl i!

Sylwer ar ffurf stacato'r ddeialog ganlynol, lle mae'r cymeriadau, Alji ac Eddy, wrthi'n trin y wal yn y ddrama fer *Wal*. Mae Alji wedi darganfod llaw yn y wal ac yn cael ei gynhyrfu i feddwl am ystyr bodolaeth. Mae'r awdur yn chwarae ar un llythyren yn bennaf, ond mae'r llythyren honno, wrth gael ei hebychu gan y ddau gymeriad, yn mynegi ystyr, gan eu bod yn cwestiynu beth sydd rhwng geni a marw:

ALJI:	(*Mae'n gweiddi i'r mudandod*) Croengrychaist fi! (*Mudandod*)
EDDY:	Be sy rhwng geni a marw?
ALJI:	A!
EDDY:	A?
ALJI:	A.
EDDY:	A.
ALJI:	A.
EDDY:	O!
ALJI:	Naci … 'A' …

EDDY: A!
ALJI: (*Yn gweiddi a thaflu ei hun ar y wal*)
          A!
          (*Mudandod*)

Mae gan Alji syniad go lew beth sydd rhwng geni a marw. Felly
nid yw am ddweud wrth Eddy, dim ond – A – a'i gadw'n gyf-
rinach fawr. Nid yw Eddy lawer callach ar ddiwedd y *tête-à-tête*,
ond mae'n fodlon derbyn esboniad un llythyren Alji. Ar ddiwedd
y sgwrs mae Alji'n ei daflu ei hun yn erbyn y wal – gan ei fod yn
gwybod bod bywyd yn uffern ac yn fwrn iddo. Y mae'r wal ei
hun yn symbol o fywyd – dyna pam mae'r ddau yn gweithio arni.
Felly mae'r ddeialog fach gwta, brin, wasgaredig hon yn llawn
ystyr ac yn gelfydd ei chrefft a'i gwead.

Wrth fynd ati i ysgrifennu deialog effeithiol rhaid cofio mai
ymateb yw ei phrif nodwedd. Mae un cymeriad yn ymateb i'r
llall, naill ai'n gadarnhaol neu'n negyddol, neu wrth gwrs,
heb ymateb o gwbl. Os nad oes ymateb o ryw fath, yna mae'r
sefyllfa'n sefyll yn stond. Mae'r gweithredu'n tewi. Mae'r
ddrama'n farw. Nid mater o ysgrifennu areithiau neu ymatebion
llafar unigol yw ysgrifennu deialog drama ond dychmygu ac
ysgrifennu cysylltiadau. Mae gweithredoedd emosiynol a
seicolegol yn cysylltu pob uned o ddeialog dda. Hyn sy'n rhoi
ystyr i'r gyfathrach rhwng cymeriadau.

Ystyriwch y ddeialog hon, yn y ddrama *Yr Arth*, rhwng
Madame Popofa a'r tirfeddiannwr Sminoff, sydd wedi dod i
gasglu dyled ei gŵr ymadawedig oddi wrthi. Mae un araith yn
cysylltu â'r nesaf, fel cadwyn o ystyr, ac mae'r cyfan yn byrlymu
wrth i'r gwrthdaro gynyddu, a'r cymeriadau'n troi'n styfnig:

SMIRNOFF: Talwch i mi, mi af innau i ffwrdd.
POPOFA: Mi ddeudais i heb flewyn ar fy nhafod nad oes gin i
             ddim arian parod rŵan, ond cewch nhw drennydd.
SMIRNOFF: Mi gefais innau yr anrhydedd o ddeud wrthoch
             chithau heb flewyn ar fy nhafod fod arna' i isio arian

	heddiw, nid drennydd. Os na thalwch i mi heddiw, mi groga i fy hun yfory.
POPOFA:	Ond be fedra i wneud, os nad oes gin i arian? Rhyfedd, ynte?
SMIRNOFF:	Thalwch chi ddim heddiw felly?
POPOFA:	Fedra i ddim.
SMIRNOFF:	Felly, mi rhosa i yma nes y caf yr arian. (*Yn eistedd*) Drennydd, ai e? Campus. Mi rhosa innau tan dren-nydd. Mi stedda i yma fel hyn. (*Yn neidio i fyny*) Dyma fi'n gofyn i chi, oes rhaid i mi dalu'r llog yfory ai peidio? Ydach chi yn meddwl mai smalio yr ydw i?
POPOFA:	Syr, peidiwch â gweiddi. Nid stabal ydi'r tŷ ma.

Po fwya yw nifer y cymeriadau mewn drama, mwya cymhleth yw nifer y cysylltiadau sydd i'w dychmygu gan y dramodydd. Rhaid i'r dramodydd gadw golwg manwl ar yr holl gysylltiadau hyn wrth iddo ysgrifennu ei ddeialog. Dyna pam mae ysgrifennu deialog drama yn orchwyl mor ddyrys ac yn hawlio cymaint o sylw'r dramodydd. Mae'n dasg weddol gyfarwydd i ddramodydd ysgrifennu deialog rhwng dau gymeriad, ond pan ddaw'r trydydd i mewn i'r sefyllfa, ac yna, efallai, pedwerydd, mae'r dasg yn mynd yn anos, ac yn gofyn llawer mwy o ofal wrth gydbwyso'r strwythur a'i wthio ymlaen.

Y peth pwysicaf o bell ffordd i ddramodydd, neu ddarpar ddramodydd, ei gofio yw mai deialog drama yw sylfaen ei grefft ac yn y pen draw ei gelfyddyd. Mae'r ddeialog yn cynnwys y cyfan: y strwythur, y cymeriad, y gweithredu, y datblygiad dramatig, y gwrthdaro, y creisis a'r uchafbwynt. Mae'r cyfarwyddiadau llwyfan yn awgrymu hyn a hyn o amgylchfyd, ymddygiad, ac ymateb emosiynol, ond mae'n bosib anwybyddu llawer o hynny wrth drosglwyddo sgript i lwyfan. Cyfrifoldeb y dramodydd yw peri i'r ddeialog gynnwys pob dim sydd yn angenrheidiol i roi bywyd perfformiadol i gynnwys ei ddrama. Y cyfrifoldeb mwyaf, efallai, yw'r gallu i osod bywyd cudd yn y cymeriadau, y bywyd cudd hwnnw y bydd yr actor a'r cyfarwyddwr yn chwilio amdano wrth anadlu bywyd llwyfan i gymeriad. Mae'n hollbwysig i ddramodydd wybod sut y mae deialog yn gosod sylfaen ac yn gyfrwng i'r hyn sydd i'w fynegi trwy sefyllfa a chymeriadaeth, trwy wrthdaro ac argyfwng, a thrwy ddatblygiad y ddrama.

Trwy'r iaith a ddefnyddir i lunio deialog y mae'r dramodydd yn creu cyfrwng i'r cymeriadau eu mynegi eu hunain yn unigol ac i gymeriadau eraill. Trwy'r iaith a ddefnyddir i lunio'r ddeialog y bydd y dramodydd yn galluogi'r actor i'w fynegi ei hun yn glir ac yn uniongyrchol i'r gynulleidfa.

Felly, y mae deialog yn strwythur cymhleth iawn. Mae angen gofal arbennig i fedru llunio deialog sydd yn cyfleu y gwahanol lefelau o ystyr, o emosiwn, ac o weithredu a geir yn natblygiad y chwarae.

Mae'r arbenigwyr ar theori deialog yn y theatr yn cytuno mai elfen o weithredu yw deialog, gweithredu uniongyrchol mynegiant dramatig. Nid y corff yn unig sy'n gweithredu mewn perfformiad o ddrama ar lwyfan, ond y meddwl, y syniad, barn, rhagfarn a safiad a fynegir wrth i gymeriadau siarad â'i gilydd trwy'r ddeialog.

O safbwynt pwysigrwydd deialog rymus, dyma oedd gan Dafydd Fôn Williams i'w ddweud yn Eisteddfod Bro Colwyn, 1995:

> Yn olaf, mae'n rhaid i'r cymeriadau gael deialog, mae'n rhaid iddynt siarad â'i gilydd, a hynny mewn dull llafar, ond heb fod yn sathredig, sy'n esmwyth i'r glust. Mae'n rhaid i ddramodydd wrth glust dda, nid yn gymaint am eirfa ond am rythmau iaith.

Cyfoethogwyd y theatr Gymraeg ar hyd ei hanes gan y defnydd a wneir o dafodiaith. Ond nid tafodiaith noeth gair llafar bob dydd ydyw. Bu'r dramodwyr yn ofalus wrth ei defnyddio i lunio'u deialog.

Mewn cyfweliad â'r awdur, meddai Gwenlyn Parry ar y pwnc:

Mae tafodiaith yn bwysig i mi, achos mae gofyn tynnu, mae gofyn mod i'n defnyddio'r peth real yn yr afreal. Hynny yw, bod y gwahaniaeth eto; achos fe allai'r cymeriadau fod yn gymeriadau dieithr. Ond mae'r iaith yn gynnes; ac mae'r cymeriadau yn bod ac yn fyw. Ond maen nhw'n real, ac i'r raddau bod fi'n mynnu mai felna maen nhw'n deud; achos dwi'n ysgrifennu mewn tafodiaith hefyd. Mae o'n dafodieithol i'r eithaf ... achos dw i'n credu bod sŵn lleisiau a sŵn acenion, eto, yn brofiad theatrig. Bod yna fantais o ddefnyddio tafodiaith, sef miwsig geiriau.

Cymerwch y gomedi *Y Pwyllgor* gan D. T. Davies, a ysgrifennwyd yn nhafodiaith Cwm Rhondda. Dyma flas ar y ddeialog. Mae Malachi'n paratoi i fynd i bwyllgor, a Mari ei wraig wrthi'n ei wisgo:

MALACHI: Mari, sychoch chi ddim o nghefan-i yn hannar sych!

MARI: (*Yn y rŵm-genol*) Chi a'ch hen gefan! Dewch, mwstrwch-hi, ne ewch chi ddim i'r pwyllgor heno.

MALACHI: (*Yn tynnu yn rhy egnïol gan dorri y garrai*) Go, darro!

MARI: Nawr, Malachi, beth wetsoch-chi!

MALACHI: (*Yn syllu yn ofidus ar y darn yn ei law*) Beth wetas-i, yn wir!

MARI: Fe ddylsa fod cwiddyl arno-chi, dyn o'ch oetran chi, i reci felna.

A dyma dafodiaith Eifionydd yn llifo'n esmwyth yn neialog y ddau gymeriad yn y ddrama fer *Bobi a Sami* gan Wil Sam:

SAMI: Rwyt titha'n poeni on'd wyt Bobi.

BOBI: Be ddeuda' i Sami? Sut 'teba i ?

SAMI: Atab 'run fath â ddoe baswn i.

BOBI: Sut 'tebis i ddoe, Sami?

SAMI: (*Yn ddiamynedd*) Dyna chdi eto, wn i ddim be i feddwl ohonat ti. Anghofus 'ta di-falio wyt ti?

BOBI: P'run o'r ddau ydi gora Sami?

SAMI: Nid matar o ddewis ydi o, jyst matar o ddeud sut wyt ti'n teimlo.

BOBI: Dwi reit dda thenciw mawr ...

SAMI: (*Yn gwylltio*) Does neb yn holi am dy iechyd di, y lembo; mae dy wedd di'n achwyn an'ti ...

Yn y gomedi fer *Cap Wil Tomos* gan Islwyn Williams, clywir tafodiaith Cwm Tawe'n trydar yn neialog Wil pan fydd yn gwrando ar gyngor ei ewythr Jac, cyn chwarae yn ei gêm rygbi gyntaf dros ei wlad:

JAC: Hei. Wil, bachan ma' ishe glanhau'r scitsh 'ma! 'Do'et ti ddim yn meddwl mynd ar y ca' felna?!

WIL: O, twt, twt, maen nhw'n ôl reit!

JAC: Nâg ŷ'n – 'dy'n nhw ddim yn ôl reit. Maen nhw'n warthus. Cofia y bydd d'ugen mil â'u llyced arnot ti heddi, gw' boi. Ble 'chi'n catw'r brwshus?

Mae'r ddeialog dafodieithol yn sicr o fod wedi ychwanegu at flas gomedïol y ddrama fer dros y blynyddoedd. O'i gogrwn yn ofalus, gan ystyried natur ei miwsig a bywiogrwydd ei mynegiant, mae tafodiaith, yn nwylo'r crefftwr da, yn sicr o gyfoethogi deialog drama.

Mae'n ddiddorol sylwi na fu gan ddramodwyr theatr Lloegr yr un traddodiad o ysgrifennu yn nhafodiaith bro a thalaith. Iaith ganol y ffordd a geir yn bennaf wrth edrych yn ôl ar sgriptiau'r ddrama fer yn Saesneg trwy gydol yr ugeinfed ganrif. Un peth diddorol arall yw bod cyfieithiadau o ddramâu byrion Saesneg, ac o ran hynny o ieithoedd eraill hefyd, yn ymddangos fwy na heb mewn tafodiaith yn y Gymraeg.

RHYTHM

Mae rhythm yn hollbwysig i lwyddiant deialog a gweithred, ac yn y cysylltiadau hyn yn ychwanegu at bŵer dramatig y digwydd. Yn y rhagair i gyfieithiad Wil Sam o *Yr Argae,* mae Alun Ffred Jones yn crybwyll: 'Gan Wil (Wil Sam) y dysgais i bod deialog drama, fel miwsig, â'i rhythm naturiol ei hun. Roedd sain llinell cyn bwysiced â'i synnwyr yn ôl W.S.'

Meddai John Gwilym Jones mewn beirniadaeth ar y ddrama fer yn Eisteddfod Genedlaethol Rhosllannerchrugog, 1945:

> Mae rhythm mewn drama mor anhepgor â rhythm mewn barddoniaeth ... yn llawer llai rheolaidd, wrth gwrs, ond mor bwysig yn y dramâu gorau fel na ellir newid trefn geiriau heb newid yr effaith a'i golli. Yn y newid yma yn ôl ac ymlaen o gyflym i araf ac o araf i gyflym y llwydda cynhyrchydd i wneud i ddrama symud yn hwylus, anorfod i'w huchafbwynt. Dylai awdur fedru clywed ei eiriau'n cael eu llefaru, canys y cyfuniad yma o sŵn a symud a synnwyr sy'n rhoddi cywair i deimlad cynulleidfa, ac fel pob celfyddyd arall rhaid i ddrama apelio, nid yn unig (ac hwyrach nid yn bennaf) at ddeall gwrandawyr, ond yn ogystal at eu teimlad a'u synhwyrau. Nid tynnu snap o'r iaith lafar a dangos ei haml fusgrellni a'i diogi a'i hacrwch hanner-Seisnig a ddylai awdur, ond disgyblu'r iaith fel y bo iddi urddas heb fod yn annaturiol, prydferthwch heb or-deimlad, ac ystwythder heb lacrwydd.

Mater o batrymu deialog a gweithrediadau yw'r dasg i'r dramodydd, er mwyn ychwanegu at rym y dweud a'r gwneud. Cymerwch ddeialog agoriadol y ddrama fer *Merched Eira* gan Aled Jones Williams, ac wrth ei darllen gwrandewch yn ofalus ar y rhythm sy'n uno'r ddau gymeriad, wrth iddynt sylweddoli'n araf eu bod yn y lle anghywir:

EDNA: Damia!
EDITH: Be' sy'?

EDNA:	Damia!
EDITH:	Damia?
EDNA:	Ia! Damia! Go damia! Cachu rwtj DAMIA!
EDITH:	Pam 'lly?
EDNA:	Da ni yn y broshyr holide rong!
EDITH:	Dybad?
EDNA:	Yndan!
EDITH:	Yndan ni?
EDNA:	Wel yndan!
EDITH:	Sut gwyddost ti?
EDNA:	Weli di:
	(*Mae hi'n darllen o'i chof, ei llygaid yng nghau*)
	'Miles of sun-drenched beaches …'

Yn y ddrama *Poen yn y Bol,* mae Bili Puw dan glorofform ar fwrdd llawdriniaeth. Yn ei gwsg mae caleidosgop ei ieuenctid yn ymddangos ar lwyfan. Yn un o'r golygfeydd breuddwydiol mae Bili'n priodi Neli, cariad ei ieuenctid. Mae'r ddeialog yn adleisio'r ddefod briodasol trwy rythmau addas:

JÔS BACH SCŴL:	(*Wrth Neli a Bili'n ifanc*) Dywedwch ar fy ôl i. 'Yr wyf fi yn galw ar y personau sydd yma'n bresennol.'
BILI'N ŴR IFANC ⎫ NELI'N FERCH IFANC ⎭	'Yr wyf fi yn galw ar y personau sydd yma'n bresennol …'
JÔS BACH SCŴL:	'I dystiolaethu fy mod i.'
BILI'N ŴR IFANC ⎫ NELI'N FERCH IFANC ⎭	'I dystiolaethu fy mod i …'
BILI'N ŴR IFANC	Bili Puw!
NELI'N FERCH IFANC:	Neli Huws!
JÔS BACH SCŴL:	'Yn dy gymeryd di …'
BILI'N ŴR IFANC ⎫ NELI'N FERCH IFANC ⎭	'Yn dy gymeryd di …'
NELI'N FERCH IFANC:	Bili Puw!
BILI'N ŴR IFANC:	Neli Huws!
NELI'N FERCH IFANC:	Yn ŵr …
BILI'N ŴR IFANC:	Yn wraig …
JÔS BACH SCŴL:	'Priod cyfreithlon i mi.'

BILI'N ŴR IFANC
NELI'N FERCH IFANC } 'Priod cyfreithlon i mi.'

(*Rhydd Bili'n ŵr Ifanc fodrwy am fys Neli'n Ferch Ifanc.*)

Mewn drama fydryddol mae'r rhythmau'n fwy amlwg am fod cynnwys y ddeialog yn rhedeg ar fydr barddonol. Gwrandewch ar rythmau ffurfiol defodol y ddeialog yma rhwng y ddau frawd a'r ddwy chwaer sydd wedi etifeddu melltith y gors yn *Meini Gwagedd*:

ELEN A SAL: Drysau ymwared yn cau yn ein herbyn,
              a'r llwybrau o'r gors yn cau ond ar angau;
              nych ac afiechyd yn codi fel tarth
              o gors Glangors-fach, ac yn cau o'n blaenau
              yn wal heb ddrws, yn gors heb lwybrau,
              ond drws yr angau; a'r beddau ni pharant eu dorau.
RHYS: Yn y gors y mae'r felltith, ei lleithder sy'n lladd;
              gwlybaniaeth tragywydd yn nawseiddio fel
                    dŵr eira …
IFAN: … trwy chwemis y gaea yn chwarren tan y grofen,
              a beunydd yn lloncian rhwng bysedd y traed.
SAL: Gwelydd y tŷ-byw yn chwys ac yn llwydni
              a'r gegin fel llaethdy, a phapur y wal yn rhubanau;
ELEN: … y Gaea roedd y damprwydd yn ebill trwy'r
                  ysgyfaint,
              a'r Haf roedd pob stafell fel bandbocs o glòs
              ond bod drafft trwy'r rhigolau, a phob cawod yn
              canu'n y pedyll.

Trwy'r rhythmau synhwyrir bod y cymeriadau'n cael eu huno i rannu baich eu hargyfwng, ac i asio amgylchfyd y gors wrth eu cyd-ddioddef.

Mae yna fynegiant emosiynol i rythm llafar. Fel y bydd teimladau pobl yn dwysáu, bydd eu llafar yn dueddol o dyfu'n fwy rhythmig. Mewn bywyd bob dydd mae i fynegiant emosiynol rythmau amlwg. Adlewyrchir hyn mewn deialog ddramatig. Gwrandewch ar y ddeialog ffrwydrol rhwng Jean y gwas a'r fon-eddiges Miss Julie, yn y ddrama *Miss Julie*, ar ôl i Jean gymryd mantais ohoni ar noson gynnes flodeuog Gŵyl Ifan. Mae Jean yn mynd yn ôl ar ei air i ddianc gyda hi i ramant Llyn Como:

MISS JULIE:	Felly wir, ac un fel'na ydach chi ...?
JEAN:	'Roedd yn rhaid imi feddwl am rywbeth. Rhaid cael rhyw ffaldirals bob amser i ddal merched.
MISS JULIE:	Y cena'!
JEAN:	*Merde.*
MISS JULIE:	Rŵan dyna chi wedi gweld cefn yr hebog.
JEAN:	Nid ei gefn o yn hollol ...
MISS JULIE:	Fi oedd i fod yn gangen gynta' ...
JEAN:	Ond 'roedd y gangen wedi pydru ...
MISS JULIE:	A fi oedd i fod yn arwydd i'r gwesty ...
JEAN:	A minna' ... y gwesty!
MISS JULIE:	Yn eistedd wrth eich cownter chi yn denu'ch cwsmeriaid chi ac yn twyllo efo'r cyfrifon.
JEAN:	Mi f'aswn i wedi gwneud hynny fy hun.
MISS JULIE:	I feddwl bod rhywun yn medru bod mor ofnadwy o aflan ...
JEAN:	Glanhewch chi o, 'ta.
MISS JULIE:	Taeog! Gwas! Sefwch ar eich traed pan ydw i'n siarad efo chi.
JEAN:	Cymar gwas, hwran taeog, cau dy geg a dos o'ma.

Wrth i rym angerdd y casineb rhwng y ddau gynyddu fe adlewyrchir hyn yn y dewis o eiriau brathog, a'r geiriau hynny'n fygythiadau ac yn ebychiadau rhythmig atgas.

GWEITHREDU

Wrth feirniadu cystadleuaeth y ddrama fer yn Eisteddfod Genedlaethol Bae Colwyn, 1947, yr oedd gan John Gwilym Jones y sylwadau canlynol i'w hargymell i ddarpar ddramodwyr:

Un diffyg mawr yn yr holl ddramâu yw nad yw eu hawduron yn sylweddoli fod drama yn rhywbeth i'r llygad yn ogystal ag i'r glust. Syniad yn symud ydyw. Clywed eu drama yn hytrach na'i gweld a wnânt bron bob un. Ânt i drafferth mawr i roi disgrifiad o ystafell – rhai ohonynt yn tynnu llun ardderchog ohoni. Dywedir bod drws i'r chwith a ffenestr i'r dde, ond ni wneir unrhyw ddefnydd ohonynt. Ni fuasai'n waeth i'r ffenestr fod i'r chwith a'r drws i'r dde ddim. Nid oes arwyddocâd i'r un ohonynt. Gellir dadlau mai swydd cynhyrchydd yw gofalu am y rhain, ond hanner y gwir fyddai hynny. Mae'n rhaid i ddramodydd weld ei gymeriadau'n symud, a'u symudiadau yr un mor arwyddocaol ac angenrheidiol i'r ddrama â'u hymddiddan.

Gweithred (*action*) yw'r eiliad olynol mewn naratif, mewn stori neu blot. System o weithrediadau, felly, yw cnewyllyn y sgript ddramatig. Mae gweithredu dramatig yn golygu cyfuniad o symud corfforol a llafar.

Mae'n bwysig iawn ystyried yr hyn a olygir wrth weithred yng nghyd-destun drama. Y weithred allanol (*outer action*) yw symudiadau, ystumiau, ymddygiad ac ymarweddiad cymeriad. I'r gynulleidfa bydd yr hyn a welir ar lwyfan, holl batrwm symud y cymeriadau, yn cyfleu ystyron o un funud i'r llall yn natblygiad y chwarae. Ond fe geir hefyd weithredu arall, system o weithrediadau sydd yn gweithio trwy ystyron y ddeialog, gweithredu mewnol y cymeriadau (*inner action*), ac o'u trosglwyddo trwy'r ddeialog i ni'r gynulleidfa, gallwn synhwyro a dehongli meddyliau a theimladau'r cymeriadau. Mae'r ddrama fodern wedi medru datblygu'r ail fath yma o weithred trwy ganolbwyntio nid ar elfennau allanol (ymddygiad melodramatig ar lwyfan) ond ar elfennau seicolegol y weithred fewnol.

Gall is-destun ac eironi dyfu o'r gweithredu yma. Mae'n bwysig i ddarpar ddramodydd ddeall yr elfennau hyn, chwilio amdanynt mewn sgriptiau dramâu byrion, a cheisio mabwysiadu sensitifrwydd tuag atynt fel arfau yn ei feddiant.

Gyda llaw, rhaid gwahaniaethu rhwng is-destun ac is-blot. Yr is-destun yw'r haen honno o ystyr sy'n ffrwtian dan wyneb y ddeialog. Gall gynnwys yr hyn a awgrymir gan gymeriad, ond heb ei ddweud, a gall gynnwys thema'r ddrama yn y pen draw. Yr is-destun sy'n rhoi dyfnder i ystyr sefyllfa, argyfwng a chymeriad ac sydd felly yn cario thema'r ddrama.

Yn un o'i lythyrau at ei frawd, mae Chekhov yn esbonio'i dechneg wrth gyfansoddi ei ddramâu, fel hyn – gall grŵp o ffrindiau fod wrthi'n gwledda wrth fwrdd cinio, hwythau'n siarad a thrafod bywyd ar lefel arwynebol hwyrach, ond yr un pryd mae i bob un ohonynt ei broblemau a'i drasiedïau islaw yn nyfnder personol ei feddwl. Bob hyn a hyn fe bryfocir yr hyn sydd yn gudd i'r wyneb yn ddiarwybod. Buddiol yw cofio'r dechneg hon, techneg a gyflwynwyd i'r theatr fodern yn bennaf gan Chekhov.

Yn y ddrama fodern, gall weithredoedd allanol corfforol ddigwydd oddi ar y llwyfan yn aml. Yn y ddrama fer *Marchogion y Môr* gan Synge, mae prif weithred y ddrama wedi digwydd cyn i'r ddrama ddechrau; hynny yw, mae'r brif weithred wedi digwydd yn y cefndir storïol. Datgelir y brif weithred, sef boddi Michael, un o feibion Moira, yn y môr ger Connemara yn neialog y plot ar y llwyfan. Datgelir effaith y brif weithred ar yr holl gymeriadau wrth iddynt ymateb i'r drasiedi o ris i ris yn natblygiad y chwarae.

NOD

Mae nod i bob stori. Hefyd, mae nod gan bob cymeriad mewn stori. Wrth i'r stori ddatblygu, wrth i blot y ddrama ymddangos, mae nod y cymeriadau naill ai'n disgyn, yn cael ei negyddu, neu, o safbwynt y prif gymeriad, hwyrach, efallai'n cyfuno â phrif nod y ddrama ei hun. Mae nod yn dueddol o olygu rhywbeth sydd yn llwyddiant, yn gadarnhaol ar ôl ymgais hir a dioddefaint, efallai, yn ystod datblygiad y ddrama. Ymgais y cymeriadau i gyrraedd y prif nod yw'r weithred sydd wrth wraidd y ddrama.

Dyma eiriau Dai, yr arlunydd, yn *Dinas Barhaus*: 'mae gin i genadwri, dinas barhaus, cartre sefydlog sgin i isio. Mae gin i

rwbath i ddeud, mae gin i isio peintio, peintio, peintio'. Mae am gael tŷ iddo'i hun a stiwdio ynddo. Nod ei gyfaill Henri yn yr un ddrama yw datblygu a chynnal busnes. Dyn busnes ydyw, dyna'i faes, ac mae am lwyddo yn y maes hwnnw. Mae am gychwyn busnes barbwr lle bu siop farbwr gynt: 'Mi siafia' i nhw nes byddan nhw fel melfat, a mi dorra' i gwalltia nhw nes.'

Wedi iddo ymddangos y tro cyntaf, cawn glywed gan y Dyn biau'r tir a'r ystad yn *Dinas Barhaus* am ei nod yntau: 'Edrach a mwynhau f'hun bydda' inna' a ''rydw i'n mwynhau deud wrth fy ffrindia fod gin i dri car, a pheth arall, rydw i'n ista lot.'

Yn y ddrama fer *Garddwest Gosforth* gan Alan Ayckbourn, nod Mr Gosforth yw cynnal garddwest er mwyn codi arian ar gyfer neuadd bentref newydd. Yr arddwest yw canolbwynt y chwarae. Sefydlir y nod o'r dechrau pan fydd Mrs Pearce, y wraig sydd i agor yr achlysur, yn siarad â Milly, y wraig sy'n gofalu am y babell de:

MILLY:	Ac mae'r cyfan at achos da.
MRS PEARCE:	Ydy'n wir.
MILLY:	Wedi'r cyfan, yr union beth sydd ei eisiau ar y lle yma yw neuadd bentref newydd. Aethoch chi heibio i'r hen un ar y ffordd yma? Siŵr o fod.
MRS PEARCE:	Yr adeilad yna ar y …?
MILLY:	Ie. Sbel fach ar hyd y lôn yna. Mae'n rhaid dweud ei fod e'n edrych yn ofnadwy. Fe'i codwyd e yn ystod y rhyfel. To sinc, waliau sinc – y cyfan yn sinc. Os ydy hi'n bwrw glaw pan 'ych chi'n cynnal cyfarfod yno, 'run man i chi gau'ch ceg.
MRS PEARCE:	O diar. Dyw'r tywydd ddim yn edrych yn rhy dda heddiw.

Wedi iddo flasu bwriad ei rieni i'w godi fel Cymro bach da, mae Iolo, yn *Dringo yn yr Andes* yn penderfynu, o ddechrau'r ddrama, beth yw ei nod ryfelgar mewn bywyd:

97

IOLO: Rw i eisie gweld y byd. Rw i am deithio. Rw i am grwydro
        i bobman fel Dewi Pws. Rw i am ddringo lan yr Andes yn
        union fel y byddai Dewi, yr anturiaethwr mawr. Ond,
        chefais i ddim o'm ffordd. Dechrau yn yr Ysgol Sul, a
        pharatoi fy hun i deithio trwy Jiwdea a'r Iorddonen ... Ac
        yna, dysgu bod yn barot i Iesu Grist ... 'Duw cariad yw',
        a stwff felna.
        (*Mae'r fam yn dod i mewn*)
MAM: Nawr 'te, Iolo ap Llywarch, rwyt ti'n mynd i ddweud
        adnod cystal â neb yn y capel yna. Ar fy ôl ... 'Duw cariad
        yw ...'

Yn y gomedi ddu un act *Cysgod y Cwm* gan Synge mae Dan, yr
hen ffermwr, yn smalio gorwedd yn farw yn y bwthyn. Daw'r
Crwydryn i mewn. Mae Nora, gwraig Dan, yn hoeden am ddyn-
ion ifanc. Dyma'i siawns, gan fod ei gŵr wedi marw. Medd hi
wrth y Crwydryn, gan sefydlu ei nod:

NORA: (*Yn siarad â math o rwystr arni*) Af ychydig yn ôl
             tua'r gorllewin, ŵr diarth. Byddai o (*gan gyfeirio at
             y marw*) yn mynd ambell noswaith at y gamfa a
             chwibanu, a deallai'r dyn ifanc fod ei eisiau. Math
             o ffermwr yw, newydd ddod oddi wrth lan y môr i
             dyddyn bach draw – a deuai yntau heibio i edrych
             pa beth oedd arnom ei eisiau, ac mae arnaf eisiau ei
             weld heno, mae'n siŵr yr â i lawr y Cwm bore yfory
             i ddweud wrth y bobol ei fod o wedi marw.
CRWYDRYN: (*Gan edrych ar y marw*) Fe af i i'w nôl ichi, wreig-
             dda'r tŷ, 'does dim rheswm ichi fynd allan ar noson
             fel hon, byddwch yn wlyb drwoch.
NORA: Na, ni allech chi wybod y ffordd ŵr diarth, nid yw
             ond llwybr cul, a ffos ddofn o boptu, a digon o
             ddŵr i foddi trol a mul ynddynt. (*Rhoi shôl tros ei
             phen*) Gwnewch eich hun yn hapus, a gweddïwch
             tros ei enaid o, a byddaf yn ôl yn bur fuan.

A dyma gychwyn ar ei gorchwyl, hynny yw ei nod, o gael dyn i
gymryd lle'r ymadawedig (tybiedig).

RHWYSTR

Y rhwystr, neu'r rhwystrau, i ddatblygiad, neu lwyddiant cymeriadau mewn drama sy'n eu hwynebu wrth iddynt geisio cyrraedd y nod. Mae'r rhwystrau'n wynebu cymeriadau wrth iddynt frwydro am lwyddiant. Y rhwystr sylfaenol i Malachi yn *Y Pwyllgor* yw'r anhawster i wisgo'n daclus ar gyfer y cyfarfod, a hynny er gwaethaf holl ymdrechion ei wraig Mari i'w helpu. Ond y prif anawsterau wrth i'r pwyllgora ddatblygu yw anghytuno'r aelodau, gan gynnwys Mari ei hun, ynghylch y dewis o destunau ar gyfer cystadlaethau eisteddfod y capel. Y rhwystrau hyn sy'n rhoi hwb i'r gomedi. Ymddangosant yng ngwrthdrawiadau'r cymeriadau, wrth iddynt fethu cytuno. Mae hyn yn rhwystr iddynt gyrraedd eu nod. Mari yw'r gwaetha o'r rhwystrau wrth iddi roi ei phig i mewn ym mhob dim. Mae hyn yn peri i Malachi awgrymu yng nghanol yr helbul:

MALACHI: Ia, ia; dyma ni wedi bod bron hannar awr man hyn, a 'dyn-ni ddim tamad nes mlan, dim ond o'ch hachos chi, Mari. 'Dos dim isha mynd i'r shop arno-chi, ne rwpath?

MARI: Nagos, 'r wy-i'n itha cysurus man hyn.

Ymgais gan Malachi yw hyn i geisio cael gwared ar un o'r rhwystrau, er mwyn i'r pwyllgor symud ymlaen i gyrraedd eu nod.

Wrth gyrraedd uchafbwynt y ddrama mae Malachi'n cyfeirio'n weddol bendant at brif rwystr y pwyllgor yn ei ymgais i gyrraedd y nod o lunio rhestr o destunau ar gyfer eisteddfod y capel:

MALACHI: 'D yw Mari a Obadiah yn ddim byd ond rhwystyr, a wetyn ma'n well i ni idd 'i diaeloti nhw. Fyddwn ni'n tri ddim wincad yn partoi program: fe gewch chi, Matthew, ych ffordd gita'r gerddoriath, fe gaiff Jacob

	drefnu'r farddoniaeth a'r – a'r peth arall 'na, a fe ofala
	inna am yr amrywiath.
MARI:	Pwyllgor o ddynon, wel, wel! A dyma beth sy' dod o
	gal steddfod miwn spite yn erbyn capal arall.

Yr hyn sy'n rhwystro'r Dyn yn *Dinas Barhaus*, yn ei eiriau ei hun yw: 'Fedra i ddim aros busnas, na thwrw na hwrlibwrli' a 'Does 'na neb am wrando arna i yn y Plas 'cw, maen nhw'n meddwl 'mod i o 'ngho.'

Cewch nod a rhwystr cymeriadau'n dilyn ei gilydd yn y ddeialog ganlynol rhwng Dai a'i gyfaill Henri yn yr un ddrama:

DAI:	Be sy'n mynd i ddŵad ohona' i ydi peth.
DYN:	Mwynha dy hun.
HENRI:	Ydach chi'n gaddo cawn ni aros yma. Fi i dorri gwalltia,
	a Dai i beintio.
DYN:	Dwn 'im. Mae gormod o hen fusnas yn tynnu traffic.
	Mwya'n byd o fusnas, mwya'n byd o bobol; a mwya'n byd
	o bobol, mwya'n byd o geir.

GWRTHDARO

Meddai Meic Povey yn ei hunangofiant – 'yr unig beth sy'n gyrru stori ydi gwrthdaro'. Yr hyn sydd yn tanio plot drama yw gwrthdaro. Dyma'r wreichionen sydd yn tanio'r gweithredoedd. Mae yna wahanol gategorïau o wrthdaro mewn drama, gan gynnwys dadl, ymosodiad, cystadleuaeth, eiddigedd, her, ymaflyd, brad, anghytundeb, cweryl, gwrthwynebiad a chwffio.

Gwrthdaro, yn ddiau, yw'r pŵer sy'n rhoi bywyd i unrhyw ddrama. Y gwrthdaro rhwng un cymeriad a'r llall yw'r trydan, y daran sydd yn gwthio'r sefyllfa ymlaen i'w huchafbwynt, ac i'w diweddglo. Gwrthdaro yw un o arfau pwysicaf y dramodydd.

Gall sgwrs rhwng dau neu dri mewn bywyd bob dydd fynd yn ei blaen yn ddiderfyn, oni bai fod rhywun yn sydyn yn gwrth-

wynebu, yn herio, neu'n anghytuno, a dyna symud neu godi'r
sgwrs neu'r sefyllfa i gyfeiriad neu lefel arall.

Yn y gomedi fer *Rhwng Pob Cegaid* gan Alan Ayckbourn, mae
dau bâr priod yn digwydd cyrraedd yr un bwyty. Pearce a'i wraig
yw'r cyntaf yno. Yna daw Martin a'i wraig, Polly, i mewn.

MARTIN:	O, edrych pwy sydd yma.
POLLY:	Ble?
MARTIN:	Mae'n well i mi fynd draw i ddweud helo.
POLLY:	Na, paid â gwneud hynny.
MARTIN:	Beth?
POLLY:	Gad i ni fynd i rywle arall.
MARTIN:	Beth?
POLLY:	Fyddan nhw ddim ond yn teimlo y dylen nhw ofyn i ni fwyta gyda nhw. Gad i ni fynd i rywle arall.
MARTIN:	Dwi ddim yn mynd i unman arall.
POLLY:	Dy'n nhw ddim wedi'n gweld ni eto. Dere'n gyflym.
MARTIN:	Dwi ddim yn mynd i unman arall. Beth sy'n bod arnat ti?
POLLY:	Dwi ddim yn teimlo fel siarad â nhw.
MARTIN:	Pam?
POLLY:	Dim nawr.
GWEINYDD:	Mae'n ddrwg gen i eich cadw chi, syr. Fyddai'r bwrdd yma fan hyn yn iawn i chi, syr?
MARTIN:	(*Wrth ei ddilyn at y bwrdd*) Dwyt ti ddim yn disgwyl i mi anwybyddu fy mòs mewn tŷ-bwyta?

A dyna'r ysbardun sydd yn arwain at y sefyllfa ganolog fydd yn
datgelu fod Polly a Pearce wedi cael wythnos odinebus yn Rhufain
gyda'i gilydd. Dyna'r ysbardun fydd yn arwain at y gwrthdaro, y
creisis, uchafbwynt y digwydd a'r diweddglo comedïol.

Y dechneg a ddefnyddir yn aml yw bod cymeriad yn gwthio'i
ffordd o'r tu allan i mewn i'r sefyllfa bresennol, a'r cymeriad
hwnnw, neu honno, yn newid cyfeiriad y digwydd. Er enghraifft,
yn *Dinas Barhaus*, mae Dai a Henri'n dadlau ynglŷn â'u sefyllfa,
ac yn sydyn daw'r Dyn i mewn, sef perchennog y sied a fabwys-
iedir gan y ddau dros dro fel gweithdy a chartref.

HENRI: A be wyt ti wedi 'neud?
DAI: Rydw i wedi peintio ...
HENRI: Darn o lun ...
DAI: Dy fai di ydi hynny, cau aros, cau setlo yn un man ...
HENRI: Rydw i'n mynd i molchi lad, bwysig i farbwr fod yn lân. Fedra' i ddim wynebu cwsmeriaid yn fudur.
         (*Ymolchi, a Dai yn mynd at ei beintio*)
DAI: Os cawn ni gwsmeriaid.
         (*Peintio*)
         (*Dyn plys ffôrs yn rhuthro i mewn; mae ganddo fwstas a dau bigin hir o boptu iddo*)
DYN: Wel? Wel? Eglurhad. Statement. Allan â fo. Be 'di'r gêm?
DAI: Shave?
HENRI: (*Gan sychu ei wyneb*) Trim?
DYN: Cerad i mewn i gwt, i siop dyn hollol ddiarth i chi fel tasach chi bia'r lle ...

Mae Meic Povey yn ymuno â Branwen Cennard trwy ategu bwysigrwydd gwrthdaro yn eu beirniadaeth ar y ddrama fer yn Eisteddfod Genedlaethol Abertawe, 2006: 'Gwrthdaro, fel y gŵyr pawb, yw hanfod pob drama.' Byddai'n anodd iawn dod o hyd i ddrama o unrhyw fath heb fod ynddi elfen o wrthdaro. Y gwrthdaro sy'n codi tymheredd y digwydd rhwng cymeriadau. Y gwrthdaro sy'n chwistrellu bywyd i'r digwydd. Y gwrthdaro sy'n gwthio ymrafael y cymeriadau ymlaen i'w huchafbwynt.

Yn *Y Dyn Swllt*, gwrth-arwr yw Crysmas Huws, y prif gymeriad. Ond nid amdano ef a'i gampau y mae'r ddrama; y gwrthdaro rhyngddo a nifer o gymeriadau eraill fel Mistar Pound y banc, Trafeiliwr, Dic Prince ac Elin Huws, gwraig Crysmas, yw crynswth y ddrama. A gwrthdaro digon ffyrnig yw ar brydiau, er ei fod bob amser yn llawn hiwmor diniwed.

Mae gwrthdaro mewnol yn fanna i actor wrth ddatblygu cymeriad ar gyfer ei berfformio. Mae actor yn chwilio'n aml am y diafoliaid mewnol sy'n ddwfn yng nghyfansoddiad cymeriadau. Mae gwrthdaro personol a gwendidau yn fodd i gymeriad fyrlymu at uchafbwynt y digwydd ac at ddiweddglo dramatig y naratif.

Dyma sy'n rhoi gwefr a grym i ymdrechion yr actorion wrth iddynt chwilio am ystyr yn sgript y ddrama.

Mae'n hollbwysig, felly, i'r dramodydd ystyried yn ofalus elfennau negyddol, bwganod a beiau personoliaeth wrth lunio cymeriadau, a hyd yn oed peri iddynt fod yn elynion iddynt hwy eu hunain. Rhaid gofyn beth maen nhw'n mynd i'w wneud nesaf mewn rhyw sefyllfa arbennig – eu gorfodi i wneud penderfyniadau dan bwysau – galw arnyn nhw i fentro, ac, o ganlyniad, i fagu posibiliadau argyfwng.

Y mae'r ddau brif gymeriad yn *Dinas Barhaus* yn cweryla â'i gilydd byth a hefyd. Byddant yn beio'i gilydd am bob dim. Trwy eu cecran diddiwedd mae'r tensiwn sy'n codi rhyngddynt yn bywiocáu'r ddeialog ac yn rhoi egni i'r gwrthdaro diddiwedd. Er enghraifft:

DAI: Gaddo, gaddo, gaddo wyt ti. Rwy't ti'n gaddo cartra i mi ers dwy flynadd. Glasgo, Caer ...

HENRI: A Bwlchtocyn ...

DAI: Ia, Bwlchtocyn hefyd, mi ddarut addo.

HENRI: Ro'n i'n feddwl o lad.

DAI: 'Mae gynnon ni gartra tra byddwn ni bellach,' dyna dy union eiria di. Ro'n i'n hapus yn Bwlchtocyn. Fan'no darum i 'ngwaith gora. Roedd Porth Ceiriad yn dygymod efo mi.

HENRI: Doedd o ddim yn dygymod efo mi lad. Lle rhy 'gorad, dyna fo i ti ar i ben. Gwynt y dwyrain yn deifio blew fy llgada' i.

DAI: 'Rhwng cwningod a chimychiad mi fyddwn ni fyw fel prunsus,' dyna ddeudist ti. Faint barodd hi? Y? Faint barodd hi?

HENRI: Tair wsnos lad. Yli, taswn i wedi cael fy ffordd ...

DAI: Mi faswn yn jêl, y ddau ohonom ni. Be 'nest ti y cyfle cynta gest ti? Gwerthu gwningan am bris sgwarnog i'r hotel ora'n Aber-soch.

HENRI: Stedi lad, doedd honna ddim yn fwriadol. Do'n i rioed wedi gweld y brîd Bwlch 'na. Doeddat titha ddim chwaith, mi ddeudist dy hun, 'clustia fel spuls,' dyna fo ar 'i ben i ti.

103

DAI: Tasa ti wedi bihafio mi faswn i yn Bwlchtocyn heddiw yn peintio'i hochor hi. Sbio allan drw ffenast wrth fyta 'mrecwast. Gweld castall Harlach a mynyddoedd sir F'rionnydd yn gwenu arna' i wrth i mi dorri fy wy.

HENRI: Chwerthin am dy ben di roeddan nhw lad. Hen siarad neis, hen farddoni gwirion. Dyn busnas ydw i yli ...

DAI: Lle mae dy fusnas di?

HENRI: Yn fa'ma lad. Yn y cwt, yn y siop yma. Busnas barbar ...

ARGYFWNG

Bydd gweithredu yn y ddrama fer yn arwain, yn hwyr neu'n hwyrach, at wrthdaro. Un o brif nodweddion drama yw'r ymaflyd, y gwrthdaro, yr anghydweld, y gwrthwynebiad neu'r frwydr rhwng cymeriadau mewn sefyllfa neilltuol. Mae natur y gwrthdaro yn un gymdeithasol – pobol yn erbyn ei gilydd, unigolion yn erbyn grwpiau, grwpiau yn erbyn grwpiau, unigolion neu grwpiau yn erbyn pwerau cymdeithasol. Bydd angen i'r unigolion neu'r grwpiau hyn frwydro dros eu hegwyddorion neu eu safbwyntiau moesol. Bydd hyn, o ganlyniad, yn arwain at argyfwng. Mae argyfwng yn nodwedd bwysig yn naratif drama, yr argyfwng sy'n arwain at uchafbwynt y digwydd. Dyma gnewyllyn yr elfen ddramatig. Mae datrys cymhlethdod yr argyfwng yn arwain at ddiweddglo'r ddrama. A dyna i chi un ffordd o edrych ar strwythur plot – gwrthdaro – argyfwng – uchafbwynt – diweddglo.

Dyma enghraifft o'r prif nodweddion hyn o fewn strwythur y ddrama fer fel y ceir nhw yn *Un Briodas*. Yn ystod y ddrama mae'r gwrthdaro'n ei amlygu ei hun yn y tyndra ym mhriodas Dic a Meg. Y bore ar ôl y briodas mae'r ddau yn sylweddoli bod rhywbeth mawr wedi mynd o'i le yn eu perthynas. Daw'r sefyllfa i greisis:

DIC: Fyt'ist ti fawr o frecwast.

MEG: Naddo.

DIC: Sâl?

MEG: Na.

DIC: Wedi blino?

MEG: Be' sy' matar arnat ti efo dy wedi blino bob munud? Wedi blino? Wyt ti'n siŵr? Berffaith siŵr – fel tiwn gron. 'Rydw i wedi deud a deud wrthat ti nad ydw i ddim wedi blino.

DIC: Meddwl 'roeddwn i ar ôl yr holl firi ddoe ...

MEG: Wel, 'dydw i ddim wedi blino. A phaid â gofyn eto.

       (*Saib*)

DIC: Biti am y glaw 'ma.

MEG: Dim ots gen i. Licio glaw yn iawn.

DIC: Licio bod yn groes y bore 'ma, beth bynnag, on'd wyt?

MEG: Ydw i?

DIC: (*Yn gafael yn ei llaw*) Yli, Meg, paid â bod yn hen iâr.

MEG: (*Yn tynnu ei llaw i ffwrdd*) Paid!

Wedi i Meg sylweddoli bod Dic yn cael affêr, mae diweddglo'r ddrama yn dangos i ba raddau mae eu priodas wedi dirywio.

DIC: (*Eto'n flin*) 'Dwyt ti ddim fel petaet ti hyd yn oed yn malio.

MEG: Nag ydw?

DIC: Wel, wyt ti?

       (*Saib*)

DIC: Wyt ti'n malio?

       (*Saib*)

MEG: Os na frysi di, mi fyddi'n hwyr.

       (*Dic yn codi. Rhoi côt amdano. Gafael yn ei fag.*)

DIC: Paid ag aros ar dy draed.

MEG: Gawn weld.

DIC: Ond i be'?

MEG: Mi gaf blesio fy hun, yn caf?

       (*Saib*)

DIC: (*Wrth gychwyn*) Wel, o leia', 'rydan ni'n gwybod lle'r yda ni'n sefyll.

MEG: Wyt ti?

DIC: Be' wyt ti'n feddwl, ydw i?

MEG: Dim. Chdi ddeudodd, nid y fi.

       (*Saib*)

(*Y ddau'n edrych ar ei gilydd yn hir.*)

DIC: 'Rydw i'n mynd.

(*Mae'n dod i flaen y llwyfan. Meg ar ei phen ei hun yn y tŷ. Nid yw'n symud.*)

MEG: O, Dic, be' sy'n mynd i ddigwydd inni?

DIC: Meg, Meg, be' sy'n mynd i ddigwydd inni?

Ar ddiweddglo'r gwrthdaro a'r argyfwng daw datgymalu'r cymhlethdod sydd yn codi o ganlyniad i weithredoedd y cymeriadau. Yng nghyswllt y ddrama *Un Briodas*, mae'r argyfwng yn y briodas yn arwain at ddiweddglo trist.

Wrth i ddrama bortreadu patrwm o weithredoedd, mae ar yr un pryd yn archwilio'r natur ddynol. Yn y modd yma, felly, mae drama yn datgelu'r cyswllt rhwng y cymeriad a'r weithred.

Mae drama yn golygu dyn mewn argyfwng. Meddai Dorothy Heathcote, arbenigwraig ar ddrama mewn addysg: 'drama is a real man in a mess'. Ni ellir meddwl am unrhyw ddrama erioed heb ei hargyfwng. Cymerwch unrhyw ddrama a fu erioed ar lwyfan y theatr ac fe gewch argyfwng yn bwerdy yn ei chyfansoddiad. Mae cefndir storïol y ddrama yn golygu – sut disgynnodd hwn a hwn neu hon a hon i'r argyfwng? Mater plot y ddrama fydd – sut mae hwn a hwn neu hon a hon yn wynebu'r argyfwng ac yn ceisio dod allan ohono?

Gorchwyl myfyrwyr drama trwy waith byrfyfyr yn eu cyrsiau ymarferol fydd ceisio datrys sefyllfa sydd ag argyfwng. Hwyrach mai dyma'r profiad agosaf a gânt at ysgrifennu eu dramâu eu hunain. Mae hyn yn brofiad arbennig o werthfawr i feithrin ymdeimlad ag ysgrifennu dramâu byrion. Trwy hyn ceir y profiad o greu cymeriadau a sefyllfaoedd, o sefydlu cymhellion ac wynebu argyfwng, ac o weld datblygiad a siâp pwrpasol i strwythur dramatig.

Y mae'r dramodydd, wrth gwrs, yn gweithio ar ei ben ei hun. Mae'n rhaid iddo gyflawni'r holl orchwylion hynny yn ei feddwl a thrwy ei ddychymyg. Ond mae'n werth ystyried canllawiau gwaith byrfyfyr wrth ddilyn y broses o greu drama fer. Dyma rai:

Gosod sefyllfa.
Creu cymeriadau.
Rhoi cymhellion i'r cymeriadau.
Sefydlu argyfwng i'r cymeriadau.
Gosod ysbardun i symud y digwydd ymlaen.
Gweithio'u ffordd trwy'r argyfwng.
Wynebu problemau yn sgil datblygiadau annisgwyl.
Ceisio gorchfygu'r problemau.
Gweld ateb i'r argyfwng, neu orfod cyfaddawdu.

YSBARDUN

Yr ysbardun yw'r modd i danio'r sefyllfa ar ddechrau'r ddrama. Gall dau gymeriad siarad, gwrthdaro, anghytuno, neu barablu ymlaen hyd nes iddynt redeg allan o wynt. Mae'n bwysig gochel rhag i gymeriadau fwrw ymlaen i drafod a thrafod yn ddi-ddiwedd. Rhaid i un ohonynt droi'r sefyllfa i gyfeiriad arall, neu i rywun neu rywbeth dorri ar eu traws, er mwyn arwain y ddrama i sefyllfa newydd. Ystyrir yr arallgyfeirio yma yn ysbardun. Rhaid i ddramodydd geisio defnyddio'r arf hon er mwyn symud ei sefyllfa ymlaen i gyfeiriad amgenach, hynny yw, i lefel ddramatig. Yn y gomedi ddu fer *Cysgod y Cwm*, mae'r hen ffermwr, Dan, yn casáu ei wraig, Nora, ac wedi cael digon arni. Mae e'n smalio marw. Daw Crwydryn i'r tŷ. Mae Nora'n gadael y corff yng ngofal y Crwydryn. Yn yr olygfa hon mae Dan yn dihuno o'i 'farwolaeth', a dyma'r ysbardun i roi cyfeiriad ffres i'r sefyllfa:

> (*Y Crwydryn yn dechrau pwytho ei gôt, ac ar yr un pryd yn sisial y 'De Profundis'. Ar drawiad, wele dynnu'r gynfas i lawr yn araf a Dan Byrc yn edrych allan. Y Crwydryn yn symud yn anesmwyth, yna'n edrych i fyny, a neidio ar ei draed, mewn dychryn.*)

DAN: (*Â llais cryg*) Paid ag ofni, ŵr diarth, ni all dyn marw wneud niwed i ddim.

CRWYDRYN: (*Yn crynu*) Nid wy'n meddwl drwg o gwbl eich anrhydedd, ac oni rowch lonydd imi i ddweud gweddi fach tros eich henaid?

Yn y gomedi fer *Y Fainc* gan Wil Sam, ar ôl i ddwy wraig leol, mewn ymgom agoriadol, sylwi ar ddyn dieithr yn cysgu ar fainc 'sanctaidd' y pentref, daw bachgen papur newydd a phlismon heibio i yrru'r sefyllfa yn ei blaen. Dyma'r ysbardun oedd ei angen ar y sefyllfa sylfaenol.

HOGYN PAPUR: Dyn!
(*Rhed allan dan weiddi*)
(*Daw plismon heibio*)
PLISMON: Rydach chi mewn bag handi.
DYN: Pwy sy'n deud?
PLISMON: Fi. Rydach chi mewn bag clyfar.
DYN: Tydw i ddim yn'o fo.
PLISMON: Mae gynnoch chi fag handi 'ta.
DYN: Oes.
PLISMON: Fydda hi ddim yn iawn i mi ofyn p'le caesoch chi o.

A dyma'r sefyllfa yn arwain at ddarganfod pwy yw'r Dyn a phaham mae ef ar y fainc.

Ar ôl golygfa fer sydd yn darlunio cyflwr priodas Meg a Dic yn *Un Briodas*, mae'r ail olygfa yn symud y ddrama i gyfeiriad arall, sef i orffennol eu bywydau cynnar. Dyma'r ysbardun sydd yn mynd â ni'n ddyfnach at wraidd eu problemau personol.

(*Mae'r ddau yn codi oddi wrth y bwrdd, Meg efo tusw o flodau gwyn yn ei llaw, a Dic yn rhoi blodyn gwyn yn nhwll botwm ei grysbas. Y ddau'n sefyll ochr yn ochr.*)
DIC: Bore braf o wanwyn cynnar.
MEG: Bore braf o wanwyn cynnar.
DIC: Y caeau yr holl ffordd i'r capel yn wyn gan lygaid y dydd agored.

MEG: Pob llygad y dydd yn fflawntio ei ganol melyn ym mhob cae
       ar y ffordd i'r capel.
DIC: Y gwellt wedi troi'n wyrdd disglair.
MEG: Pob conyn o welltyn yn bigyn bach gwyrdd ifanc.
DIC: Awel ysgafn â gwefr o oerni iach ynddi hi.
MEG: Ias o aeaf yn yr awel yn finiog iach ar fy wyneb.

IS-DESTUN

Is-destun drama yw'r hyn sydd yn ffrwtian o dan wyneb y
digwydd, yr haen o ystyr sydd wedi ei gweu i mewn i rediad
y ddeialog rhwng cymeriadau. Gall yr is-destun gynnwys yr hyn
na ddywedir yn uniongyrchol rhwng cymeriadau. Gall fod yn
feddyliau cudd nad ydynt yn barod i ymddangos ar y foment
yn y ddeialog; gall fod yn emosiwn a ffrwynir rhag ymddangos
nes daw'r cyfle; gall fod yn ddyheadau neu'n freuddwydion
rhwystredig, neu fe all fod yn fwriad pendant sydd yn aros ei dro.
Beth bynnag ydyw, mae'n gorwedd islaw gwrthdaro'r foment.
Yn ei gyfres o ddramâu byrion, *Mixed Doubles*, mae gan Alan
Ayckbourn gomedi fer sydd wedi ei seilio bron yn llwyr ar is-
destun. Mae gŵr a gwraig yn casáu ei gilydd, ac mae'r ddau'n
rhannu eu casineb â'r gynulleidfa trwy ddeialog sy'n adlewyrchu
eu meddyliau cudd. Wrth iddynt wynebu ei gilydd maent yn
dweud anwiredd, ond wrth wynebu'r gynulleidfa dywedant y
gwir. Mae'r gwrthdaro yn y ddeuoliaeth lafar yma yn ychwanegu
at gomedi'r sefyllfa.

Mae Chekhov wedi disgrifio'r haen bwerus yma yn y ffordd
ganlynol – sef bod nifer o bobol yn mwynhau bwyta gyda'i gilydd
ac yn trafod y pethau arferol dros y bwrdd, ond ar yr un pryd,
ym mhob unigolyn mae consýrn, cariad, llawenydd neu drasiedi
yn ffrwtian dan wyneb y mân siarad. Dyna oedd cnewyllyn
techneg ddramatig Chekhov. Cymerodd rai blynyddoedd, a
chryn dipyn o arbrofi cyn iddo gyrraedd y pwynt pryd y gallai
ddefnyddio hynny yn ei ddramâu. Mae'n werth cofio'r dechneg

wrth geisio cynllunio dyfnder i ddeialog cymeriadau. Felly, nid is-blot yw is-destun.

Mae is-blot yn rhywbeth hollol wahanol. Nid oes fawr o le i ddatblygu is-blot mewn drama fer. Rhaid cadw'r dechneg honno ar gyfer hyd a lled y ddrama hir, lle mae llawer mwy o gyfle i weu cymhlethdod is-blot i'r digwydd. Ond o safbwynt y ddrama fer (a'r ddrama hir o ran hynny) ceir digon o gyfle i osod dyfnder i ddeialog cymeriadau wrth iddynt ymrafael â'i gilydd yng ngweithrediadau'r ddrama.

Gall yr is-destun gynnwys tipyn o ystyr thematig y ddrama, a hynny o safbwynt eironi yr hyn a ddywedir rhwng cymeriadau. Yn y ddrama *Dwy Ystafell* gan John Gwilym Jones daw Meic i ystafell Lis, ei gyd-fyfyriwr. Mae gan Meic enw, am fod yn dipyn o foi. Mae Nel, ffrind Lis, eisoes wedi rhybuddio Lis fod Meic yn un peryglus, ac nid yw Lis yn sicr ei bod am fod ar ei phen ei hun gydag ef. Ond pan fydd Nel am adael, daw ofnau i feddwl Lis, ac ymddengys y rhain drwy is-destun yr olygfa:

NEL: (*Yn dechrau*) Heb ei neud y bydd y traethawd fel hyn, yntê? 'Rydw i'n mynd.

LIS: (*Panig sydyn*) Nel! Aros funud!

NEL: Wel?

LIS: Na ... popeth yn iawn ... dim byd ...

NEL: Wyt ti'n siŵr?

LIS: Ydw, yn ddigon siŵr. Rhyw feddwl wnes i tybed oedd gen i goffi.

NEL: Mae digon gen i ...

LIS: Na, 'dw i'n siŵr bod gen i beth ... oes ... 'dw i'n cofio rŵan.

MEIC: P'run bynnag, peidiwch â thrafferthu. Fydda' i byth yn yfed coffi.

LIS: Byth yn yfed coffi?

MEIC: Byth. Un o'r petha' hynny na fydda' i byth yn eu gneud.

LIS: Yfed coffi ...

MEIC: (*Trio bod yn ysgafn*) Mae 'na betha' er'ill na fydda' i byth yn eu gneud hefyd, wrth gwrs.

NEL: Oes, gobeithio ...
MEIC: Gwaetha'r modd.
LIS: Gwaetha'r modd?
MEIC: Ia.
NEL: (*Wrth Lis*) Wyt ti'n siŵr y byddi di'n iawn?
LIS: Wrth gwrs y bydda' i.
MEIC: Peidiwch â phoeni. Mi 'drycha' i ar ei hôl hi.
NEL: Mi ddeuda' i nos dawch, 'ta.
MEIC: Nos dawch.
NEL: Mi drawa' i i mewn i dy weld cyn mynd i'r gwely.
LIS: Ia, gwna.
NEL: Wel, nos dawch.
MEIC: Nos dawch.
         (*Nel yn mynd*)

Gwelwn fod Lis yn nerfus ac efallai'n ofnus, er ei bod hi'n ceisio peidio dangos hynny. Mae'r is-destun yma'n ffrwtian o dan yr wyneb yn neialog Nel a Lis. Mae'r is-destun, felly, yn cyfoethogi'r elfen seicolegol yn y gyfathrach rhwng y cymeriadau.

Erbyn diwedd y plot yn *Yr Arth*, mae'r foneddiges Popofa a'r tirfeddiannwr Smirnoff wedi penderfynu setlo'r mater ariannol, sef y rheswm pam y bu iddynt gyfarfod yn y dechrau, drwy ymladd gornest â drylliau. Gan nad yw Popofa yn medru defnyddio gwn, mae Smirnoff yn fodlon dangos iddi. Mae hyn wrth gwrs yn rhan o dechneg y ffars hon.

Mae'r is-destun sydd dan wyneb y gwrthdaro rhwng y ddau gymeriad yn ychwanegu at yr elfen ffarsaidd, sef ein bod yn deall eisoes fod y ddau yn hoff o'i gilydd, ac mai ond gêm yw'r ornest, ac nad ydynt am ladd ei gilydd o ddifri. Mae Smirnoff yn dangos i Popofa sut i anelu'r dryll.

SMIRNOFF: Ond cofiwch hyn: bod yn dawel ac yn bwyllog wrth
             'nelu, dyna'r peth mawr. Trïwch gadw'ch llaw rhag
             crynu.
POPOFA: O'r gorau, well inni beidio saethu yn y tŷ, awn i'r
             ardd.

111

SMIRNOFF: Ie, ond cofiwch mai saethu i'r awyr wna i.
POPOFA: Gwaeth fyth! 'D o'n i ddim yn disgwyl cael fy nhrin
           fel hyn. Pam?
SMIRNOFF: Am fod ... am fod ... ond fy musnes i ydi hynny.
POPOFA: Wedi troi'n llwfrgi, ai e? Waeth i chi heb â strancio,
           mae'n rhy hwyr i hynny rŵan. Dewch ar fy ôl i, cha'
           i ddim munud o dawelwch nes y bydda i wedi gyrru
           bwled trwy'ch hen ben atgas chi. Wedi troi'n llwfrgi,
           ai e?
SMIRNOFF: Ie, yn llwfrgi.
POPOFA: Celwydd noeth! Pam na fynnwch chi gwffio?
SMIRNOFF: Am ... am ... wel, am fy mod yn eich licᵢo chi.

EIRONI

Dyfais effeithiol iawn yw eironi mewn drama, dyfais all greu
dyfnder ystyr i'r sefyllfa ac i wrthdaro cymeriadau. Gall eironi
fywiocáu gweithredoedd a chysylltiadau cymeriadau â'i gilydd.
Gall hefyd roi min ar sefyllfaoedd yng nghyd-destun camddeall-
twriaeth, neu gamarwain, neu dwyll, sydd yn debyg ar brydiau
o arwain at elfen o hiwmor. Gall eironi fod yn finiog ac yn
ddychanol.

Yn y ddrama fer *Tri Chyfaill* gan John Gwilym Jones, mae'r
tri chymeriad yn twyllo'i gilydd yn ddiarwybod. Mae Dan yn
cael affêr gyda Ceinwen, gwraig Twm. Ar ddiwedd y ddrama
mae Dan yn barod i ffarwelio â'i ddau gyfaill Twm ac Em, ond
trwy drefniant rhag blaen, mae Ceinwen yn ffonio Dan er mwyn
cadarnhau eu cyfarfod cudd nesaf. Mae Dan wedi trefnu gyda
Ceinwen, pan fydd hi'n ei ffonio, mai ateb galwad gan ei fam y
bydd. Ry'm ni'r gynulleidfa yn gwybod yn iawn pwy sydd ar y
pen arall i'r ffôn, ond nid oes gan Twm unrhyw syniad. Mae
eironi'r sefyllfa'n amlwg felly.

DAN: (*Ar y ffôn*) Helô ... Helô ... Dan sy'n siarad ... O, helô, chi
      sy 'na, Mam. Popeth yn iawn, gobeithio ... Llythyr? ... O

112

le? ... Y cyhoeddwyr? ... Be' mae o'n ddeud? ... O, dydd
Mawrth nesa' ... Popeth yn iawn felly, rhoi digon o amser
imi. Ofni ar y funud eich bod chi'n mynd i ddeud 'fory' ac
y byddai'n rhaid imi ddŵad adra heno ... Wela' i monoch
chi felly tan nos yfory ... Ia, nos yfory ... Wedi bwrw drwy'r
dydd heddiw ... ond yn clirio rŵan, medda Em ... Siawns
na chawn ni gêm bach ar ôl te.

(*Twm wrth ei fodd, yn gwenu o glust i glust ...*)

Ond mae Em eisoes wedi amau bod rhyw gynllwyn ar gerdded.
Ac mae'n gofyn am gael gair gyda mam Dan.

EM: (*O ymyl y ffenestr*) Mi hoffwn i gael gair bach efo dy fam.
DAN: (*I'r ffôn*) Rhoswch funud. (*Wrth Em*) Deud rhywbeth?
EM: (*Yn symud ato*) Dim ond yr hoffwn i gael gair bach efo dy
         fam.
DAN: (*Yn ddigon cyfrwys iddo. Ar y ffôn*) Mam, mae Em am gael
         gair bach efo chi ... Helô ... Helô ... Mam ... (*Rhoi'r ffôn i
         lawr*) Mae hi wedi rhoi'r ffôn i lawr ... heb ddallt, mae'n
         siŵr gen i.

Ceir eironi dwbwl yn yr olygfa hon, wrth inni ddirnad bod Em
yn chwarae gêm Dan a'i fod yn rhoi sgêm ei gyfaill ar brawf.
    Yn *Yr Eithriad a'r Rheol* gan Brecht, mae Marsiandïwr am
gyrraedd dinas Urga cyn ei gyd-ymgeiswyr, er mwyn taro bargen
fasnachol ffafriol. Ar y daith mae'n trin ei was, y Cwli, yn greulon.
Wrth deithio trwy anialwch, mae'r Marsiandïwr yn graddol redeg
allan o ddŵr. Mae gan y Cwli fflasg a roddyd iddo ar y daith gan
Arweinydd caredig. Mae gweithred olaf y Cwli yn llawn eironi.

MARSIANDÏWR: Cod y babell. Mae'r fflasg yn wag, dim ar ôl.
                (*Y Marsiandïwr yn eistedd a'r Cwli yn codi'r babell.
                Y Marsiandïwr heb i neb ei weld yn yfed o'r botel
                wrtho'i hun.*) Rhaid iddo beidio â gweld fod dim
                dŵr ar ôl. Pe gwyddai hynny, os oes ganddo
                rywfaint o synnwyr yn ei benglog, fe'm lladdai i.
                Os daw o'n agos, fe saethaf. (*Cymryd ei rifolfar a'i*

113

	roi ar 'i lin.) Dim ond medru cyrraedd y ffynnon ola' a byddai popeth yn iawn. Bron â threngi o syched. Pa hyd y medr dyn ddal syched?
CWLI:	Mae'n rhaid imi roi'r fflasg a gefais i gan yr Arweinydd iddo fo. Os na, pan geir hyd inni, y fi'n fyw ac yntau'n hanner marw, o flaen fy ngwell y bydda' i'n cymryd y fflasg a cherdded at y Marsiandïwr. (*Yn sydyn gwêl y Marsiandïwr y Cwli o'i flaen, heb wybod a welodd y Cwli ef yn yfed ai peidio. Nid oedd y Cwli wedi ei weld. Heb ddweud dim mae'n cynnig y fflasg iddo. Ond mae'r Marsiandïwr, gan feddwl mai carreg sydd ganddo a bod y Cwli mewn tymer am ei ladd, yn gweiddi.*)
MARSIANDÏWR:	Gollwng y garreg 'na! (*Efo un ergyd mae'n lladd y Cwli sy'n dal i gynnig y fflasg.*) 'R'on i'n iawn. Dyna ti'r bastard. Gofyn amdani hi.

Yma eto, gwelir bod eironi'r sefyllfa a'r weithred yn rhoi min ar y cyffro dramatig, ac yn ychwanegu at ddyfnder y ddrama. Sylweddolwn yn gyflym pwy yw'r llechgi a phwy yw arwr y sefyllfa, a beth yw pwrpas didactig y dramodydd.

Mae Wil Sam yn defnyddio eironi mewn sawl sefyllfa yn ei ddramâu byrion, yn rhannol er mwyn ychwanegu at gomedi ei waith. Yn y ddrama *Dalar Deg*, mae mistar y fferm yn chwilio am howsgiper.

Daw Davies yr Wya i'r adwy wrth gael gafael yn Lusa Parri. Ond yn ei gofal hi mae trefn y tŷ yn druenus. Cyn iddi dderbyn ei notis, mae Davies yn holi'r Mistar am ei hansawdd fel howsgiper. Yn ystod y cyfweliad ry'm ni'r gynulleidfa yn gwybod eisoes am ei champau argyfyngus ond y mae'r Mistar yn osgoi dweud y gwir. Mae'r drafodaeth yn llawn eironi a hiwmor:

DAVIES:	Ydach chi'n cartrefu yma Miss?
LUSA PARRI:	Ardderchog diolch. Rydw i fel taswn i yma erioed. (*Mynd allan*)
MISTAR:	(*Yn chwyrn*) Cerwch.

DAVIES:	Mae'n dda gin i fod Miss Parri'n plesio.
MISTAR:	Mmmmmmm.
DAVIES:	Ac yn onest.
MISTAR:	Ia.
DAVIES:	A glân.
MISTAR:	Boenus.
DAVIES:	Ac yn ffeind.
MISTAR:	Ia.
DAVIES:	Ac yn ffeind wrth anifal.
MISTAR:	Ella wir.
DAVIES:	Ac yn gweld ei gwaith.
MISTAR:	Faint fynnir.
DAVIES:	Ac yn medru gneud tamad blasus.
MISTAR:	(*Yn nodio*)
DAVIES:	A hwnnw yn ei bryd. Mi allach chi gerddad yn o bell cyn gwelach chi ddynes 'run fath â hi.
MISTAR:	Bell iawn.

Gwyddom eisoes fod y rhagoriaethau a nodir gan Davies yr Wya yn wahanol iawn i brofiad y Mistar a'r hyn a welsom ni'r gynull-eidfa yn ymddygiad trychinebus Lusa Parri. Mae'r eironi felly yn rhoi min ar hiwmor y ddrama.

EMOSIWN

Ynghlwm wrth y gwrthdaro mewn drama ceir cymeriadau'n cweryla, yn cecru, yn gweld bai, yn anghytuno, yn datgelu eu hochr, neu hyd yn oed yn diawlio'i gilydd. Mae'r dramodydd yn rhoi'r cyfle i bob cymeriad ffeindio'i le yn natblygiad gweith-redol y ddrama. Mae'n rhaid i ddramodydd gofio felly fod i bob drama ei strwythur o emosiwn. Trwy hyn y bydd y dramodydd yn ychwanegu at dymheredd y digwydd. Bron na ellir cyffelybu strwythur emosiynol drama i rwyd y nerfau sydd mewn corff. Mae'n ychwanegu haen o gyffro, cynnwrf ac ymdeimlad i weith-rediadau a gwrthdaro'r digwydd.

Mae pob cymeriad yn meddwl, yn deall, yn mynegi safbwynt ac yn ymateb i sefyllfa. Ond rhaid cofio bod gan bob cymeriad deimladau hefyd. Yn ei ymateb i sefyllfa neu ddigwyddiad y bydd y cymeriad yn mynegi ei deimladau. Rhan o'i natur ddynol yw hyn, sef ei fod yn teimlo rhywbeth yn ddwfn yn ei gyfansoddiad, yn teimlo rhywbeth i'r byw, hwyrach, neu ryw ysfa i gydymdeimlo â'i gyd-ddyn.

Mae'n hollbwysig i ddramodydd weu strwythur o deimlad yn ei ddrama. Meddai John Gwilym Jones mewn cyfweliad radio:

> Mi dw i'n credu 'na'r unig betha tragwyddol ydy'ch teimladau chi. A dwi'n gobeithio mod i'n medru dweud hynny trwy bob un o'r rhain. Bod cariad a chasineb a chas a chenfigen a phetha felly, yn betha tragwyddol, na fedrwch chi byth neud i ffwrdd â nhw. Bod nhw'n rhan o'r natur ddynol.

Ac yn ei ddrama *Dwy Ystafell*, mae'r cymeriad Meic yn rhoi llond ceg o dafod i Huw, ei gyd-fyfyriwr mewn araith emosiynol:

MEIC: *(Symud ato'n nes. Mae ei osgo'n gorfodi Huw i eistedd yn ôl)* Nac wyt, 'dwyt ti ddim yn mynd. Mi ei di yn fy amser da i ... a dim eiliad cyn hynny. *(Siarad gyda chasineb chwerw)* Ar noson braf, mi lwybreiddi yn chwys llaw y perchen dau lygad disglair fel dwy em nes cyrraedd Pont y Borth. Aros i anadlu'n grach-wefreiddiol i edrych ar oleuadau Sir Gaernarfon a Sir Fôn yn cyffwrdd ei gilydd ar yr afon. *(Yn gwatwar dau'n siarad yn 'deimladol')* 'Maen nhw fel pe'n ysgwyd llaw â'i gilydd, on'd ydyn?' 'O, Huw, mae 'na ddeunydd bardd ynoch chi'. 'Oes ... oes, mae ... Ar noson fel heno mi fydda' i'n teimlo rhyw gyffro ... rhyw gynnwrf ...' *(Yn ôl yn ei lais ei hun)* Cynnwrf, myn diawl! Yr unig gynnwrf y meiddi di ei fodloni ydi pan fyddi di ar dy ben dy hun yn dy wely ynghanol dy lunia' noeth yn dychmygu braich Brigitte Bardot am dy wddf a'th drwyn rhwng bronna' Raquel Welch. 'Rwyt ti'n codi cyfog arna' i ... chdi a phawb 'run fath â chdi ...

Mae'n amlwg fod Meic wedi colli amynedd â'i gyfaill Huw, ac yn barod i'w geryddu am fod yn greadur mor llipa. Mae ei deimladau'n dwysáu'n raddol, trwy watwar Huw am siarad yn siwgwraidd fel y bydd cariadon, hyd at ei osodiad olaf – 'Rwyt ti'n codi cyfog arna' i.'

Yn y ddrama fer *Marchogion y Môr* mae lefel emosiynol y cymeriadau'n codi'n uchel yn wyneb bygythiadau ffawd. Wedi i Bartley, mab olaf Moira, benderfynu mentro croesi i'r tir mawr, er gwaetha'r storom sy'n crynhoi ar y môr, dyma'r hen wraig yn yngan yn ddwys:

> MOIRA: (*Yn gweiddi'n dorcalonnus pan mae Bartley wrth y drws*) Dyna fo wedi mynd 'rŵan. Duw a'n helpo, a welwn ni mohono fo byth eto. Dyna fo wedi mynd rŵan, a phan ddaw'r nos dywyll heno byddaf heb yr un mab ar wyneb y ddaear. (*Moira yn cymryd yr efail a dechrau rhacio'r tân yn ddiamcan heb edrych o gwmpas*)

Gwelwn fod geiriau Moira, wrth ailadrodd 'Dyna fo wedi mynd rŵan', yn atseinio'i theimladau, ac mae ei haraith megis galarnad. Yn ychwanegol at hynny, adlewyrchir ei theimladau dwys mewn gweithred, wrth iddi '[r]acio'r tân yn ddiamcan'. Mae'r gair a'r weithred, felly, yn ymddangos yn nheimladau'r hen wraig, a hithau'n ddofn yn ei galar.

Yn yr enghreifftiau yma, mae'r hyn a deimlir a'r hyn a ddywedir yn uno mewn gair a gweithred.

Gall eithafion emosiynol yrru cymeriad i golli ei bwyll, i ddisgyn i gyflwr diymadferth, neu i sefyllfa hypnotig, fel y gwelir yn y dylanwad sydd gan Jean ar Miss Julie ar derfyn y ddrama honno.

Mae Julie wedi cytuno i gael cyfathrach rywiol gyda'i gwas, Jean, ac mae urddas ac anrhydedd ei theulu aristocrataidd yn y fantol. Mae Jean yn awgrymu ffordd allan o'r sefyllfa iddi, cyn i'w thad ddychwelyd, a gwelwn fod Julie mewn penbleth ac mewn gwewyr seicolegol.

MISS JULIE: O, 'rydw i wedi ymlâdd; fedra' i wneud affliw o ddim. Fedra' i ddim edifarhau, fedra' i ddim ffoi, fedra' i ddim aros, fedra' i ddim byw – fedra i ddim marw. Helpwch fi rŵan. Rhowch orchymyn i mi ac mi ufuddha' i fel ci. Gwnewch y gymwynas ola' i mi, achubwch f'anrhydedd i, achubwch ei enw da fo. Mi wyddoch chi be' y dylwn i fod â'r ewyllys i'w wneud, ond 'does gen i mo'r ewyllys i'w wneud o. Defnydd-iwch chi eich ewyllys chi a rhowch orchymyn i mi i'w wneud o.

Mae pwerau emosiynol Julie yn rhacs, a hithau bellach yn ddi-ymadferth, a'i hewyllys yn llwyr yn nwylo Jean. Mae hi am ei lladd ei hun, ond nid oes ganddi'r nerth emosiynol i benderfynu. Synhwyrwn yn ei geiriau ei chyflwr truenus. Dyma ddefnydd cryf o eiriau i fynegi cyflwr emosiynol eithafol cymeriad.

Felly, wrth lunio strwythur y ddrama, mae'n amlwg y bydd y dramodydd yn ystyried y weithred, a dilyniant o weithredoedd, yn sylfaen i'r gymeriadaeth. Y tu ôl i'r gweithredoedd mae'n rhaid cofio bod meddwl a dychymyg i bob cymeriad hefyd. Dyna'n rhannol sy'n gwneud y cymeriad yn fod dynol, yn berson unigryw. Ond mae angen i'r dramodydd ystyried mwy na hyn. Mae'n rhaid creu haenau o emosiwn trwy strwythur y digwydd, y gwrthdaro a'r ymdrechion i wynebu'r argyfwng. Mae gan bob cymeriad deimladau. Ymddengys y teimladau mewn gwahanol sefyllfaoedd ac mewn gwahanol ffyrdd, wrth i'r cymeriadau wynebu ei gilydd a wynebu unrhyw argyfwng sydd o'u blaenau. Yn wir, y strwythur o emosiwn sy'n gosod y goron, fel petai, ar elfennau tri dimensiwn y cymeriad.

Sylwch, am ychydig, ar yr elfen emosiynol sydd wrth wraidd ymateb y cymeriadau canlynol i'w gilydd, ac i amgylchiadau'r sefyllfa. Yn *Marchogion y Môr*, mae Moira, y fam, yn ymateb i gyngor yr offeiriad yn ei thrallod, a hithau wedi colli ei gŵr a'i meibion i gyd i'r môr:

MOIRA: (*Mewn llais isel a chlir*) Ychydig iawn a ŵyr un fel y fo
am y môr ... Mae Bartley wedi colli erbyn hyn ... Bu
gennyf ŵr, a thad i 'ngŵr, a chwe mab yn y tŷ yma –
chwech o ddynion nobl, er imi gael amser caled ar
enedigaeth pob un ohonyn nhw i'r byd – cafwyd hyd i
gyrff rhai ohonyn nhw, a welwyd dim golwg o'r lleill,
ond dyna nhw wedi mynd rŵan, pob un ohonyn nhw.

Math arall o wefr emosiynol sydd yn treiddio trwy ddeialog
cymeriadau yw honno sydd yn adlewyrchu siom a rhwystredig-
aeth, y math sydd yn adlewyrchu chwerwedd methiant. Mae hyn
yn ymddangos yn finiog ar wyneb y ddeialog rhwng Dic a Meg
yn *Un Briodas*, wrth i'w priodas chwerwi. Mae'n amlwg fod yr
areithiau cignoeth hyn i'w llefaru'n syth i gynulleidfa'r theatr:

DIC: Blwyddyn i heddiw y priodsoch chi, meddai Mam, a dim
sôn am imi fod yn nain.
MEG: Pryd mae'r hogyn bach am ddŵad, meddai Mam. Byth,
byth, byth, meddwn i wrthyf fy hun.
DIC: Rydan ni'n cysgu efo'n gilydd. Cysgu efo'n gilydd fel gŵr a
gwraig.
MEG: Fedra' i ddim gwrthod cysgu efo fo. Rydw i wedi ei briodi
o ...
DIC: Ond i ddim. Dim gwefr. Hollol oer drwy'r adeg.
MEG: Mae ganddo fo'i hawliau.
DIC: Dim ond gweithredu fel defod.
MEG: Mae'r cwbl yn ffiaidd ...
DIC: Rydw i fel ...
MEG: Yn aflan ...
DIC: ... petawn i'n ei ...
MEG: Yn bechod.
DIC: ... a threisio hi bob tro.

UCHAFBWYNT A DIWEDDGLO

Mewn drama hir hwyrach bod y dramodydd yn dweud wrtho'i
hun: roedd gen i broblemau gyda'r act gyntaf a'r ail; nawr, sut

ydw i'n mynd i lwyddo i grynhoi'r holl linynnau ynghyd yn yr act olaf? Nid oes gan awdur y ddrama fer yr un problemau am ei fod wedi gorfod osgoi cymhlethu plot ag is-blotiau dyrys.

Bydd y ddrama fer yn symud yn uniongyrchol tua'i therfyn taclus. Ond dyna'r gair 'taclus'. Beth yw ystyr 'taclus' yma? Efallai y bydd awdur y ddrama fer wedi'i wthio'i hun i dwll na fedr godi ohono. Yng nghyd-destun y nofel, bai cyffredin yw diffyg yr awdur wrth gau pen y mwdwl. Dyma un sylw gan feirniad y ddrama fer: 'Dyw'r awdur ddim yn siŵr sut i symud ei blot ymlaen o un datgeliad allweddol i'r nesa. Hercian tuag at ddiwedd melodramatig a wna'r ddrama.' A dyma sylw arall ar ddrama fer: 'Dyw'r saernïaeth ddim hanner digon clyfar i ddod â'r cwbwl i fwcwl.' Ond dyma sylw damniol: 'Does dim llawer o ots gan y gwyliwr na'r cymeriadau sut y daw'r ddrama hon i ben.'

Bydd cynnydd yn y gwrthdaro yn arwain at argyfwng, at uchafbwynt y ddrama, ac yna at y diweddglo. Cymerwn y ddrama fer *Rhwng Pob Cegaid* gan Alan Ayckbourn. Mae dau bâr priod, Polly a Martin, a Pearce a Mrs Pearce, yn ymbalfalu yn eu problemau personol ar wahanol fyrddau mewn bwyty. Datblyga dau argyfwng yn ystod y chwarae, a hynny ar ddau fwrdd gwahanol. Mae Mrs Pearce am i'w gŵr ddatgelu pwy yw'r ferch arall yn ei fywyd. Dyma'r argyfwng cyntaf ar un o'r byrddau:

MRS PEARCE:	Fe ofynnais i, pwy yw hi?
PEARCE:	Pwy yw pwy?
MRS PEARCE:	Pwy yw hi?
PEARCE:	Dwi ddim yn credu mai dyma'r union adeg ar gyfer sgwrs fel hon, wyt ti?
MRS PEARCE:	Alla i ddim meddwl am achlysur gwell.
PEARCE:	Mewn bwyty cyhoeddus?
MRS PEARCE:	Pam lai?

Mae Polly, ar fwrdd gwahanol, yn datgelu i'w gŵr, Martin, i ble'r aeth hi ar ei gwyliau. Dyma'r ail argyfwng:

POLLY:	Doeddwn i ddim yn Majorca, cariad, fel mae'n digwydd. Roeddwn i yn Rhufain.
GWEINYDD:	Llysiau, syr?
MARTIN:	Y-y, dim moron. Rhufain? Beth oeddet ti'n ei wneud yn Rhufain?
POLLY:	Roeddwn i gyda Donald Pearce.
MARTIN:	Donald Pearce – dyna ddigon, diolch – beth oeddet ti'n ei wneud gyda Donald Pearce?
POLLY:	Fe dreuliais i dair wythnos gyda Donald Pearce mewn gwesty yn Rhufain.
MARTIN:	Y nefoedd fawr.

Mae'r ddau odinebwr yn eistedd ar fyrddau nid nepell oddi wrth ei gilydd. Dyna ran o strwythur celfydd y gomedi sefyllfa hon. Mae'r ddau greisis yma yn arwain at uchafbwynt y ddrama, pan fydd y ddwy wraig, am resymau gwahanol, yn gadael eu gwŷr wrth y byrddau. Mae'r ddau greisis, yn y cyswllt hwn, yn ychwanegu at uchafbwynt y gomedi.

Mae'r allwedd i ddatrys argyfwng i'w darganfod ar ddiwedd y plot. Gall yr argyfwng ddeillio, cyn hynny, o gamgymeriad a wnaethpwyd gan un o'r cymeriadau, o gyd-ddigwyddiad, neu ddewis anghywir; hynny yw, dyma droeon trwstan fydd yn dylanwadu ar ddatblygiad y chwarae ac yn arwain at uchafbwynt y ddrama a'i diweddglo.

Ar ddiwedd y ddrama fer *Y Pwyllgor* ceir yr allwedd i ddatrys y gomedi. Fe'i gwelir ar derfyn holl ymdrechion pwyllgorwyr capel Pisgah i baratoi testunau ar gyfer eisteddfod eu capel ar ddydd Calan, er mwyn achub y blaen ar y cystadleuwyr yng nghapel Salem. Mae'r allwedd ym meddiant Mari, yr unig wraig yn y ddrama, a hi yw llais rhesymegol y dramodydd:

| JACOB: | Mlan â'r program, mlan â'r program, er mwyn i ni gal 'i ddosbarthu fe dydd Sul nesa: a fel gwetas-i, os bydd aelota Salam yn ddicon digwiddy i gynnal 'steddfod wetyn, wel, wfft idd 'u crefydd nhw, weta-i. |

MARI:	Beth wetsa-chi nawr, tsa aelota Salam yn dod â'u program mas cyn dydd Sul?
MALACHI:	Dim *fear*, ma nhw lawar rhy gysglyd.
MARI:	(*yn codi ac yn siarad yn araf a thawel*): Malachi, fe ddaeth papur yma i chi cyn i chi ddod nôl o'r gwaith, ond fe anghofiais i ddangos-a i chi. Ma 'r un man i chi gal i weld-a nawr. (*Y gwŷr yn edrych ar ei gilydd yn anesmwyth. Mari yn tynnu allan raglen fawr o ddror y ford ac yn ei dadlennu o flaen eu llygaid. Gwelir yn eglur mai poster capel Salem ydyw yn cyhoeddi eisteddfod ar ddydd Calan.*) (*Saif y gwŷr yn syfrdan am ychydig gan syllu ar y rhaglen.*)
MARI:	Dyma fe, lwchi: ac os bydd aelota Pisgah yn ddicon digwyddil i gynnal 'steddfod nawr, wel,—
OBADIAH:	(*Yn ofidus*) Jacob!
JACOB:	(*Yn alarus*) Matthew!
MATTHEW:	(*Yn wylofus*) Malachi!
MALACHI:	(*Mewn dagrau*) Obadiah!
	(*Pâr Mari i ddal y papur i fyny o'u blaen gan wenu arnynt.*)

Daw'r uchafbwynt ym mhlot *Dinas Barhaus* pan mae perchennog yr adeilad lle mae Dai a Henri am sefydlu eu busnes yn cytuno y gallant aros yn eu hunfan:

DYN:	G'newch fel fynnoch chi …
HENRI:	Mae gynnon ni fusnas Dai.
DAI:	Mae gynnon ni gartra, dinas barhaus.

Ond daw'r gwrthgleimacs yn fuan ar ôl hyn, pan fydd y Dyn am weld y darlun mae Dai wedi'i beintio ohono, a darganfod yn y darlun fod Henri'r barbwr wedi torri un ochr o'i fwstás i ffwrdd:

DYN:	Ond, ond un pig wyt ti wedi roi i mi.
	(*Mae Henri'n rhedeg o'r tu ôl i Dyn ac yn cau ei ddwrn ar Dai*)
DAI:	Ond un pig sy' gynnoch chi, un pig welis i gynnoch chi.

A dyna ddod â'r plot a'r digwydd i ddiweddglo ffarsaidd llwydd-
iannus. Daw diwedd ar freuddwydion Henri a Dai am ddinas
barhaus pan fydd y Dyn yn eu cloi yn y sied. Mae deialog fer,
fachog Dai a Henri yn niweddglo'r ddrama yn llawn eironi:

DAI: Gawn ni aros yma Henri?
HENRI: Cawn lad, does gynnon ni ddim dewis, ma'n rhaid i ni
         aros yma.
DAI: Am byth?
HENRI: Ia lad. Am byth.
DAI: Dinas barhaus, Henri.

Mae'r eironi, wrth gwrs, yn y ffaith eu bod wedi eu cloi yn y sied
gan y perchennog sydd bellach yn garcharor iddynt. Dyma glo
cryno, cynhwysfawr a chelfydd i ddatblygiad y plot, clo sy'n
diferu o eironi ar derfyn datblygiad y sefyllfa, a hiwmor y ddeialog.
    Daw uchafbwynt y gomedi fer *Garddwest Gosforth* gan Alan
Ayckbourn pan mae'r system drydan ddiffygiol yn rhoi sioc i'r
Cynghorydd Pearce, y wraig wadd, wrth iddi ddechrau ei haraith
agoriadol tua diwedd y ddrama:

GOSFORTH: Dyna fe! (*Yn clywed y sŵn*) Beth ddiawl sydd wedi
                digwydd?
MILLY: Edrych ... (*Mae'n pwyntio at Mrs Pearce*)
                Mrs Pearce ...
                (*Mae'r ficer a Gosforth yn tynnu'r meicroffon oddi ar
                Mrs Pearce. Mae'r ficer yn cydio yn y stand ac yn cael
                sioc.*)
GOSFORTH: Gofal, Ficer, gofal ...
                (*Mae Gosforth yn tynnu llaw'r ficer oddi ar y stand ac
                yn troi mewn pryd i ddal Mrs Pearce sydd wedi llewygu.*)

Er bod Gosforth ei hun wedi ceisio wynebu a derbyn y rhwystrau
a ddaw i ran yr arddwest hyd yn hyn, ar uchafbwynt yr achlysur
fe ddifethir araith y wraig wadd gan olyniaeth o elfennau
anffortunus, ac mae'r arddwest yn diweddu'n ffarsaidd. Dyma

grefftwr arbennig iawn yn defnyddio holl adnoddau'r theatr i
greu strwythur celfydd i'w ddrama fer.

Yn y nodiadau i'r ddrama hon, medd golygydd y gyfrol:
'Dyma ffars ar ei gorau. Mae'n cyfuno delweddau gweledol gwir-
ioneddol ddigrif gyda deialog garlamus. Y gyfrinach yw medru
cynnal y cwbl o'r dechrau.'

Daw uchafbwynt y ddrama fer *A Wnêl Dwyll*, gan Emyr
Edwards, wedi i Dylan sylweddoli bod ei gariad, Mallt, yn cael
affêr gyda'i dad, Seth, a'i fod yn mynd i ddatgelu iddi pa mor
odinebus yw ei dad.

Yn yr olygfa olaf mae Seth wedi gwahodd Dylan a Mallt i
ginio:

SETH: Rwyt ti'n codi petha preifat nad oes a wnelo â'n gwestai.
DYLAN: Ein gwestai! Dyna yw hi nawr! Gwestai? On'd ydy hi'n
           fwy na hynny i ti eisoes? On'd ydy hi'n gariad o ryw
           fath?
MALLT: Rw i'n mynd. Dydw i ddim am glywed hyn.
DYLAN: Aros!
           (*Yn ei gwthio i gadair*)
           Cei'r cyfan. Dylet glywad y cyfan cyn mentro ymhellach.
SETH: Dos allan, wnei di?
DYLAN: Dyna pam mae'r tŷ yma'n wag o unrhyw ymrwymiad
           teuluol. Gadawodd Mam hwn am ei bod wedi cael hen
           ddigon dros y blynyddoedd ar ei ymhél â merched
           ifanc.
SETH: Celwydd! Rhyw ffantasi sy yn dy feddwl di yw hynny.
DYLAN: Fe fuost ti'n destun siarad. Does bosib dy fod ti'n fyddar
           i hynny.
SETH: Mae'r hogyn yn llawn eiddigedd.
DYLAN: Eiddigedd? Duw annwyl, nid eiddigedd, casineb sy
           wedi corddi fy mywyd ers blynyddoedd.
MALLT: Fedra i ddim eistadd yma bellach a gwrando ar y fath
           frwydr afiach.
DYLAN: A ti, Mallt, yw'r goncwest ddiweddara, mae'n amlwg.
           Cefais ryw deimlad mai felly y byddai yn y pen draw.
           Gadewais i'w rwyd dy ddal di.

MALLT: Y cachgi! Pam na wnest ti fwy i frwydro amdana i, felly?

DYLAN: Gweld dy fod ti wedi dotio arno fo o'r dechrau.

Ceir bod holl emosiynau'r cymeriadau a chrynswth y sefyllfa'n cynyddu i'r pwynt hwn o ddatgelu yn y digwydd. Er nad ydym yn sylweddoli beth sy'n mynd i ddigwydd ar y dechrau, ceir awgrymiadau, amheuon efallai, mai fel hyn y bydd ar derfyn y chwarae. Mewn drama fer, er bod yn rhaid dilyn strwythur o gynildeb, eto i gyd mae angen rhoi cyfle i emosiynau ddatblygu, ac yn y cyswllt hwn, i ffrwydro, heb fynd dros ben llestri a disgyn i gyflwr melodrama.

Wrth i ddrama fer ddod i'w therfyn yn niweddglo'r sefyllfa, yr argyfwng neu'r darganfyddiad, y mae iddi hefyd ei dyfodol; nid dyfodol y byddwn ni'r gynulleidfa'n dystion iddo, ac eto dyfodol y byddwn efallai yn ei ystyried wrth adael y theatr. Cymerwn ddiweddglo'r gomedi fer *John Huws Drws Nesaf* gan Cynan lle mae John Huws yn ei chael hi'n anodd dewis pa un o'r ddwy chwaer, Catrin neu Laura, i'w phriodi. Mae un yn dweud wrth y llall, ar ôl i John Huws adael a gosod rhosyn ar y bwrdd:

CATRIN: Ddaw hi ddim fel hyn! Ddaw hi ddim! (*Dyna hi'n croesi at y tân a chyn gollwng y rhosyn iddo*) Edrych yma, Laura Jane, dyna ddiwedd ar y peth – llwch i'r llwch, a lludw i'r lludw – a rŵan, Laura Jane bach, wnaiff crio ddim lles i ni, ond fe wnaiff gwaith. Hwyr glas gorffen y dorth frith yna. Tyrd, styria hi, tra byddaf innau'n hel wyau.
(*Allan â Chatrin gyda basged hel wyau. Dechreua Laura Jane guro'r wy ar gyfer y dorth frith eto. Yn araf ar y dechrau, gan sychu deigryn o gil ei llygaid â'r llaw chwith. Yna'n sydyn, gyda'i phenderfyniad i ymwroli, dyna'r fforc yn dechrau curo'n chwyrn, chwyrn, trwy'r wy, ac mor chwyrn â hynny fe gwymp y llen.*)

Beth ddaw o John Huws druan? A fydd e'n dal i chwilio am wraig? Beth ddaw o Catrin a Laura? A fydd gŵr i'r ddwy ar y gorwel? Neu a fyddant yn gytûn am weddill eu hoes? Nid dyna gonsýrn y dramodydd. Mae byd ei ddrama ef yn gyflawn wedi i John Huws osod y rhosyn ar y bwrdd. Ond nid yw hynny'n ein hatal ni'r gynulleidfa rhag dyfalu wedi i'r llen ddisgyn.

CYFARWYDDIADAU LLWYFAN

Pan fydd yn ysgrifennu ei ddrama, bydd yr awdur fel arfer yn rhoi rhyw syniad o leoliad ac amser y ddrama, yn ogystal â nodweddion y cymeriadau. Mae cyfarwyddiadau llwyfan yn ymddangos yng nghorff deialog drama am nifer o resymau. Gall fod yn gyfeiriad at symud, at ymateb, at gyflwr emosiynol, at ystum neu at ddefnydd o offer neu ddodrefn. Y dramodydd ei hun, fel arfer, fydd yn gyfrifol am y cyfarwyddiadau hyn. Ond bydd rhai gweisg yn eu cynnwys ar ôl i'r ddrama gael ei pherfformio am y tro cyntaf, ac felly cyfarwyddiadau'r cynhyrchiad cyntaf a ymddengys mewn copïau a gyhoeddir o'r ddrama.

Fel arfer, gosodir y cyfarwyddiadau mewn cromfachau. Llais amhersonol sydd i'w glywed trwy'r cyfarwyddiadau, a hwnnw'n ymwneud â gofynion ymarferol y digwydd. Gall y cyfarwyddiadau gynnwys disgrifiadau o leoliad yr olygfa, gwybodaeth sydd wedi'i hanelu at y cyfarwyddwr a'r cynllunydd llwyfan, e.e.:

(a) *John Huws Drws Nesa* gan Cynan
   (*Cegin bwthyn ar fin morfa unig ym Môn – ar ddydd marchnad y Sir.*)

(b) *Y Fainc* gan W. S. Jones
   (*Llwyfan gwag gyda dim ond mainc arno.*)

(c) *Y Crogwr Newydd* gan Laurence Housman
   (*O fewn porth y Carchar y mae math o offis, yn cynnwys desg,*

stôl, cloc yn hongian, teliffôn, a mainc wrth y mur. Arwain yr
offis i goridor cerrig, a'r drws iddo yn awr ar agor.)

(ch) *Dwy Ystafell*, gan John Gwilym Jones
(*Rhanner y llwyfan yn ddwy ystafell myfyrwyr mewn Coleg.*
Dodrefn angenrheidiol, fel cwpwrdd a gwely.)

Neu fe ddefnyddir y cyfarwyddiadau i ddisgrifio ymddygiad,
lleoliad, symudiad neu wisg cymeriadau, e.e.:

(a) *Wal* gan Aled Jones Williams
(*Daw Eddy i'r fei yn betrusgar o'r ochr dde.*)
EDDY: (*Yn chwerthin yn nerfus. Mae Eddy wastad yn*
chwerthin yn nerfus.)

(b) *Miss Julie* gan Strindberg
(*Y mae Kristin yn sefyll wrth y stôf yn ffrio rhywbeth mewn*
padell; y mae'n gwisgo ffrog gotwm o liw golau a ffedog.)
(*Daw Jean i mewn yn gwisgo lifrai gwas ac yn cario pâr o*
fwtsias mawr a 'sbardunau arnynt. Y mae'n eu gosod ar y llawr
mewn lle amlwg.)

(c) *Y Dyn Drws Nesaf* gan John R. Evans
Pan gyfyd y llen eistedd Efa Stephens mewn cadair gyffyrddus
yn gwrando ar record yn cael ei chwarae. (Bydd y dewisiad o
record yn bwysig.) Merch olygus tua 35 oed yw hon.
(*Egyr y drws a daw Meurig i mewn. Mae ef tua'r un oedran â'i*
wraig. Nid yw hi'n sylwi arno. Mae ei meddwl i gyd ar y
gerddoriaeth.)

Y cyfarwyddiadau mwyaf amlwg o fewn strwythur y ddeialog
yw'r rheiny sy'n nodi agwedd neu ymateb, cyflwr meddwl neu
gyflwr emosiynol y cymeriad. Mae'r cyfarwyddiadau hyn wedi eu
hanelu yn bennaf at yr actor a'r cyfarwyddwr, e.e.:

(a) *Y Ddraenen Wen* gan R. G. Berry
HARRI: (*yn danllyd*) Mae snobs Cymru yma'n
ddiweddar yn annioddefol – rhyw daclau o

127

dwll tan y grât yn dynwared stumiau snobs o
Saeson.

SYR TOM: (*yn dringar*) Sebon, Harri, rhaid cael sebon
ymhob cylch.

(b) *Y Ddraenen Fach* gan Gwenlyn Parry

MARTIN: Mae'n drysu, Williams. Mae'r twll drewllyd
yma yn 'ffeithio ar 'i frêns o.

WILLIAMS: (*heb gymryd y sylw lleiaf o Martin*) Alla' i ddim
gweld pa ddaioni ddaw o'r llofruddio 'ma sy'n
digwydd o'n cwmpas ni, beth bynnag.

(c) *Tiwlips* gan Aled Jones Williams

PATRIC: Yncl Jo o'dd yn gosod 'i hun r'wla rhwng *Llyfr
Mawr y Plant* a Iesu-gadewch-i-blant-bychan-
ddyfod-ataf-fi-Grist ...

MAM: (*â'i dwylo am ei chlustiau ac yn siglo yn ôl a
blaen*) Dwi 'im isio gwbod! Dwi 'im isio gwbod!
Dwi 'im isio gwbod!

(ch) *Hynt Peredur* gan John Gwilym Jones

MAM: Tria beidio â bod yn hwyr iawn.

PEREDUR: (*Yn ei phryfocio*) Fedra i ddim bod yn gynnar
iawn a bod yn ufudd, yn na fedra'.

O edrych yn fanwl trwy gasgliad o ddeg o ddramâu Wil Sam,
yr unig gyfarwyddiadau a geir ganddo yw'r rheiny sy'n dynodi
symudiadau'r cymeriadau. Nid oes cyfeiriad at agwedd meddwl
nac ymateb emosiynol yn y sgriptiau o gwbl. Mae'n amlwg fod y
dramodydd am i'r cyfarwyddwr a'r actor benderfynu ar y modd
y dehonglir cynnwys y ddeialog, wrth iddynt anadlu bywyd i'r
cymeriadau.

Ceir cyfarwyddiadau arbenigol ar brydiau, e.e. pan nad yw'r
cymeriad yn ymateb i gwestiwn neu her rhoddir 'dim ateb' yn
lle deialog. A phan fo'r tensiwn rhwng cymeriadau'n amlwg,
rhoddir saib, neu ysbaid, rhwng dwy araith.

Dylai dramodydd ofalu peidio â defnyddio cyfarwyddiadau diangen, ond yn hytrach dylid eu hystyried yn gyfle i gyfleu gwybodaeth angenrheidiol nad yw'n medru ei chynnwys, neu ei hesbonio, yn y digwydd a'r ddeialog.

Yn wir, gellir ystyried y cyfarwyddiadau llwyfan yn bont rhwng y ddrama ysgrifenedig a'i pherfformiad ar lwyfan. Gellir eu cymryd fel naratif ymarferol sydd yn dangos potensial y sgript fel glasbrint ar gyfer perfformiad.

Dylai'r dramodydd drin cyfarwyddiadau fel nodiadau anhepgorol, a'u defnyddio yn unig pan fo gwir angen. Ar y llaw arall, fe geir dramâu byrion gan Beckett sydd yn cynnwys gweithrediadau yn unig, heb air o ddeialog. Yn y sgriptiau hynny, cyfarwyddiadau llwyfan yw'r cyfan. Rhaid bod y dramodydd yn feistr ar y grefft o lunio drama fer arbrofol neu chwyldroadol i gyflawni hyn.

Yn ychwanegol at gyfarwyddiadau ar gyfer actorion a chyfarwyddwyr, mae rhai cyfeiriadau'n awgrymu posibiliadau technegol ar gyfer llwyfannu'r ddrama, e.e.:

(a) *Y Cardotyn* gan John R. Evans
(*Â Nia ac Idris allan, ac wrth fynd allan mae Idris yn diffodd y golau trydan.*)

(b) *Omar Khayyâm* gan Gwilym T. Hughes
(*Y mae'r apêl i'r llygaid, drwy oleuo amryliw a chelfydd yn rhan bwysig o'r ddrama hon.*)

(c) *Broc Môr* gan John R. Evans
(*Pan gyfyd y llen clywir y gwynt yn arwyddo ystorm.*)

(ch) *Y Fainc* gan W. S. Jones
(*Bydd angen cyfleu dwy gymdoges yn glanhau ffenestri llofftydd eu tai naill ai o bobtu'r llwyfan neu ar safle uwch na'r gynulleidfa o bobtu'r neuadd. Rhoddir golau ar y ddwy gymdoges pan fyddont yn llefaru, yn unig.*)

(d) *Pryd Fuo Kathleen Ferrier Farw?* gan Aled Jones
Williams
Darnau olaf y gân 'Blow The Wind Southerly', Kathleen Ferrier.
Ffôn yn canu ar draws y gân.
Y miwsig yn cael ei ddiffodd.
Peiriant ateb ac arno lais Mr Parry.

Mewn dramâu byrion mydryddol fe geir cyfarwyddiadau sydd yn
adlewyrchu elfennau symbolig ar gyfer y llwyfan, ac fe ddefnyddir
goleuo annaturiol i gyfleu natur arallfydol y ddrama. Dyma, er
enghraifft, yr olygfa a welwn wrth i'r goleuadau godi ar y set yn
y ddrama fydryddol *Meini Gwagedd* gan Kitchener Davies:

> *Cyfyd y llen ar adfeilion Glangors-fach tan leuad-fedi ar nos Gŵyl
> Fihangel.*
> *Tua chanol y mur dadfeiliedig yn y cefn y mae gweddillion aelwyd y
> tyddyn trist. Y lloergan yw'r unig olau, ac wrth i'r lleuad garlamu
> trwy gymylau ysbeidiol, newidia'r lliwiau fel y bo'r deialog yn gofyn.
> (Awgrymir GLAS i'r Tri (Gŵr Glangors-fach, a'i ddwy ferch, Mari
> a Shani) a MELYN i'r Pedwar (y ddau frawd, Ifan a Rhys, a'r
> ddwy chwaer, Elen a Sal.)*

Gosodir cyfarwyddiadau llwyfan yng nghorff y sgript er mwyn i'r
cyfarwyddwr, yr actorion a'r technegwyr eu dehongli wrth iddynt
baratoi cynhyrchiad o'r ddrama ar gyfer llwyfan. Gallant ddewis
dilyn y cyfarwyddiadau neu beidio. Ond ni ellir anwybyddu'r
ddeialog. Mae deialog drama yno i aros a'i pharchu gan ddehonglwyr
o unrhyw fath.

Mae tuedd heddiw i osgoi unrhyw fath o set bendant, boed
yn naturiolaidd neu'n symbolaidd. Er enghraifft, yn y ddrama fer
Dringo yn yr Andes gan Emyr Edwards, ceir y cyfarwyddiadau
canlynol ar gyfer y llwyfannu:

> *(Defnyddir llwyfan agored lle gall rhannau ohono gynrychioli'r amryw
> olygfeydd sydd yn ymddangos yng nghaleidosgop y digwydd. Daw'r
> actorion â'r dodrefn a'r offer priodol i'r llwyfan pan fo'r angen.)*

130

Pan enillodd Manon Steffan y Fedal Ddrama yn Eisteddfod Genedlaethol Eryri, 2005, am ei drama fer *Mae Sera'n Wag*, dyma a ddywedodd y beirniaid, Geraint Lewis a T. James Jones:

> Er mai llwyfan wag 'heblaw efallai un gadair' sydd gennym yn y ddrama hon, rydym yn cael ein trosglwyddo'n effeithiol gan ddychymyg y dramodydd i draeth anghysbell, i gyfathrach rywiol y tu ôl i dŷ *kebab*, i berfeddion nos gyda thad meddw yn canfod bod ei ferch ysgol yn feichiog ac i sawl lle diddorol arall yn ogystal.

Nid yw'r dechneg hon ychwaith yn gwbl newydd i'r theatr Gymraeg. Yn y ddrama fer *Un Briodas,* a gyhoeddwyd ym 1976, ni sonnir o gwbl ar ddechrau'r sgript am set, dim ond 'Dic a Meg wrth y bwrdd'. Sylweddolwn yn gyflym nad oes angen set gefndirol gan fod y digwydd yn llithro'n naturiol o un olygfa fer i'r llall, wrth i'r ddrama ddatgelu helynt a thristwch eu caru a'u priodi.

Hwyrach fod y duedd i ddefnyddio llwyfan gwag fel gofod i'w lenwi gan y dychymyg – lle gall unrhyw beth ddigwydd a datblygu o un olygfa fer i'r llall yn nhreigl y ddrama – yn adwaith i draddodiad y set naturiolaidd. Mae'n sicr ei bod yn ysbardun i ddychymyg cynulleidfa sydd, oherwydd hynny, yn gallu canolbwyntio ar y weithred a'r gair yn hytrach nag ar ddryswch cefndirol yr olygfa.

Nid yw hyn, wrth gwrs, yn esgusodi'r dramodydd rhag gosod y ddrama mewn unrhyw leoliad ac unrhyw set sydd yn gymwys i gynnwys y plot a'r stori. Y peth pwysig i'w gofio yw bod hon yn dechneg sydd ar gael, ac ar gael o fewn cylch crefft a dychymyg y dramodydd.

Llwyfan a Theatr

BACHU'R GYNULLEIDFA

FEL Y NODWYD EISOES, mewn drama fer nid oes amser i rag-ymadroddi nac i fanylu ar sefyllfa a chymeriadaeth. Rhaid ymosod yn syth ar y sefyllfa ganolog. Hynny yw, rhaid denu'r gwyliwr i mewn i'r ddrama o'r eiliad cyntaf. Mae gan ddramodwyr profiadol y ddawn i wneud hynny. Rhaid gosod y sefyllfa, y gymeriadaeth a'r amgylchfyd o'r eiliad cyntaf. Rhaid dechrau ar rediad deialog fydd yn bachu sylw'r gynulleidfa. Yna, mae'n rhaid rhoi ysbardun i gyfeiriad y chwarae. A'r ysbardun hwnnw fydd yn codi'r sefyllfa i lefel ddeinamig, ac yn gwthio'r ddrama ymlaen i'w datblygiad, trwy'r argyfwng, i'w huchafbwynt a'i diweddglo. Fel y dywedodd John Gwilym Jones mewn beirniadaeth eisteddfodol:

> Ni all dramodydd fforddio anwybyddu ei gynulleidfa a sefyll ar wahân iddi. Rhaid iddo lunio stori a sgwrs gredadwy sydd y tu mewn i amgyffred a chyrhaeddiad dyn cyffredin. Dyna'i lyffethair, os mynnwch, ond dyna hefyd ei ddisgyblaeth.

Yn y ddrama fer *Seimon y Swynwr*, mae'r foneddiges, Miss Wyn, a'i morwyn, Megan, yn trafod y pwysigrwydd o gael gafael mewn dyn. Ar ôl sefydlu hyn mewn deialog fachog, daw Seimon, gŵr ifanc golygus a ffrind i Megan, i mewn i'r parlwr. Dyma gychwyn trywydd y plot, ac ynddo'r gwrthdaro, fydd yn arwain at ymchwydd elfennau dramatig y ffars fach ogleisiol hon.

132

MISS WYN: Mae dynion call yn brin.

MEGAN: Ac maen nhw'n mynd yn brinnach bob tro maen nhw'n galw. Pam? Ga' i ofyn, pam? ...

MISS WYN: Cewch.

MEGAN: Dynas gyfoethog 'run fath â chi. Pam nag ewch chi allan o'r hen le 'ma weithia? Pam nag ewch chi i chwilio am ddyn iawn. Pam na phriodwch chi Ma'm?

MISS WYN: Dydi dynion yn meddwl am ddim ond gwario arian.

MEGAN: Ond mae gynnoch chi ddigon o arian, tasach chi'n gwario am ...

MISS WYN: Nid dyn i wario f'arian i sydd gin i isio. Dyn na wna' i ddim blino arno fo: dyn effro, dyn clyfar.

Yng ngolygfa agoriadol *Marchogion y Môr* mae Nora a Cathleen, merched Moira, yn dadlau beth i'w wneud â dillad Michael, eu brawd a foddwyd ger Connemara, dillad a gafwyd ar y glannau, dillad mewn parsel y mae'r offeiriad wedi ei roi iddynt. Cuddiant y parsel cyn i'w mam ymddangos. Mae ymddangosiad eu mam yn codi tensiwn y sefyllfa'n syth, ac o hyn ymlaen mae'r drasiedi'n byrlymu yn ei blaen hyd at ei diweddglo di-droi'n-ôl.

NORA: (*Â llais isel*) P'le mae hi?

CATHLEEN: Mae hi wedi mynd i orwedd, Duw a'i helpo, ac efallai yn cysgu os medr.
(*Daw Nora i mewn yn ddistaw bach a dangos parsel oedd ganddi dan y siôl*)

CATHLEEN: (*Dan nyddu'n gyflym*) Be' sy' gen ti?

NORA: Yr offeiriad ieuanc ddaeth â nhw. Crys a hosan gafwyd ar ddyn wedi boddi yn Donegal ydyn nhw.
(*Cathleen yn stopio'r droell yn sydyn, ac yn ymestyn i wrando*)

NORA: Mae eisiau i ni edrych ai rhai Michael ydyn nhw, mi aiff Mam i lawr at lan y môr ei hunan i chwilio ryw dro.

CATHLEEN: Nora bach, sut y medrwn nhw fod yn rhai Michael? Sut y medra fo fynd y fath ffordd i'r gogledd pell?

Cawn yr un math o sefydlu cymeriad, sefyllfa ac amgylchedd yn *Yr Arth*. Yn ystod y munudau cyntaf mae Ielena Popofa, gweddw a meistres y tŷ, yn rhybuddio'i gwas hynafol Luka i beidio ag anghofio'i chyflwr a'i galar ar ôl colli ei diweddar ŵr. Yn sydyn, daw Grigori Smirnoff, cymydog canol oed o'r ystad gerllaw, i ymweld â meistres y tŷ. A dyna ddechrau'r trafod a'r gwrthdaro rhyngddynt fydd yn datblygu'n frwydr ddigyfaddawd, hyd at bwynt arbennig, yn ystod treigl y ffars fach fendigedig hon, pan fydd y ddau yn syrthio mewn cariad â'i gilydd ac yn penderfynu anghofio'r gorffennol yn llwyr. Mae'r sefyllfa wedi ei gosod o'r eiliad cyntaf, ac yn awr daw'r ysbardun i'r digwydd fydd yn tanio'r argyfwng:

SMIRNOFF: Madame, mae'n anrhydedd gennyf fy nghyflwyno fy hun i chi: y tir-feddiannwr Grigori Stepanofits Smirnoff, gynt yn lieutenant yn yr artileri! Mae'n rhaid imi aflonyddu arnoch â neges bwysig iawn.

POPOFA: (*Heb estyn ei llaw iddo*) Be fynnwch chi?

SMIRNOFF: Aeth eich diweddar ŵr ... yr oedd yn anrhydedd gennyf ei adnabod ... o'r byd yma, heb dalu ei ddyled imi, chwech igian o bunnoedd. Rhaid imi dalu llog i'r banc yfory, ac felly, Madam, rhaid imi gael yr arian gynnoch chi heddiw.

POPOFA: Chwech igian! Ond sut y gallai 'ngŵr fod mewn cymint o ddyled i chi?

SMIRNOFF: Mi werthais i geirch iddo fo.

Ar ddechrau'r ddrama fer *A Wnêl Dwyll*, mae'r dramodydd yn denu'r gwyliwr i ddyfalu sut un yw tad Dylan, wrth i Mallt holi:

(*Daw Dylan a Mallt i'r llwyfan*)

DYLAN: Aros eiliad. Amynedd.

MALLT: Rw i'n iawn.

DYLAN: Cusan.

MALLT: Tyrd.

(*Yn rhoi cusan angerddol iddo*)

DYLAN: Iawn. Rw i'n fodlon.

MALLT:	Diawl, rwyt ti'n hogyn cyffrous.
DYLAN:	Ti sy'n boeth.
MALLT:	Ble mae o, felly?
DYLAN:	Eiliad. Bydd o yma.
MALLT:	Fedra i ddim dal.
DYLAN:	Dal?
MALLT:	Ydy o run fath â'i fab?
DYLAN:	Ti sydd i benderfynu.
MALLT:	Fe wna i hynny'n reit gyflym.
DYLAN:	Rw i'n siŵr y gwnei.
MALLT:	Wedi arfar penderfynu natur dynion mewn chwinciad.
DYLAN:	Torri trwy'r plisgyn.
MALLT:	Yn hollol.

Rhaid dal sylw'r gynulleidfa, felly, trwy air a gweithred, a thrwy gynnal y sylw hwnnw hyd y gair neu'r weithred olaf un. Meddai John Gwilym Jones:

> Dyma gamp y dramodydd – cyflwyno stori a sgwrs sydd ynddynt eu hunain yn ddiddorol, yn fywiog ac yn adloniadol, a lefeinio'r cwbl oll, un ai trwy wawd neu ddychan neu apêl, â'i feirniadaeth ei hun. Os llwydda i wneud hyn fe fydd yn ffurfio ffordd ei wrandawyr o feddwl. Yn ddistaw bach heb iddynt sylweddoli fe ddywedant wrthynt eu hunain: 'Fel hyn y dylai pethau fod', neu 'Nid fel hyn y dylai pethau fod'; un ai fe'u purir neu fe'u hanesmwythir.

Ni ellir gwell tystiolaeth o lwyddiant dramodydd i gyffroi ac i blesio'i gynulleidfa na'r hyn a ddywed Derec Llwyd Morgan am waith theatr John Gwilym Jones (*John Gwilym Jones: Cyfrol Deyrnged*, 1976):

> Mae'n gamp i awdur lunio un gwaith sy'n taro tant yn nerfau ei gynulleidfa: ond yn ddiau cyfrinach llwyddiant Mr Jones yw ei fod wedi llwyddo i wneud hyn mor aml. Gall dyn droi'i ddramâu yn llys apêl i gywirdeb ei deimladau, gall ddyfynnu ohonynt epigraffau i benodau ei hunangofiant. Gall gŵr iau adnabod

ei dad a'i fam yn rhai ohonynt, dod i'w adnabod ei hun mewn eraill, ac edrych ymlaen at y ddrama nesaf gyda sicrwydd y bydd honno eto yn agennu rhywfaint ar natur ei wead.

Y SBECTACL

Mae drama ar lwyfan yn sbectacl a rhaid i'r dramodydd ei hystyried felly wrth greu'r cymeriadau, y ddeialog, y gweithrediadau ac amgylchfyd y digwydd. Nid yn yr ystyr 'yn sbectaciwlar' mo hynny, yn sioe ysblennydd ar lwyfan, ond yn gyfres o ddelweddau sydd yn creu ystyr i bob dim sydd yn y ddrama. Mae drama yn llawer mwy na chelfyddyd lenyddol. Rhaid i ddrama gynnwys cyfres o ddelweddau sy'n adlewyrchu gweledigaeth y dramodydd.

Cymerwch, er enghraifft, y gyfres o ddelweddau sydd yn mynegi hanfod y drasiedi fer *Marchogion y Môr*. Yng nghegin y bwthyn Gwyddelig ceir Cathleen yn coginio teisen; y parsel ar y bwrdd sy'n cynnwys dillad ei brawd a foddwyd; ystyllod gwyn wrth y pared ar gyfer arch; y rhaff ar gyfer caseg Bartley sydd i fentro i ffair Galway; Moira, y fam, yn dorcalonnus wrth i Bartley fentro i ffyrnigrwydd y môr; agor y parsel a darganfod mai dillad Michael, a foddwyd, sydd ynddo; Bartley yn carlamu i'w dranc; hen wragedd yn dod i lenwi'r bwthyn â'u mwrnio; dynion yn cario corff Bartley ar ystyllen a darn o hwyl drosto, a'i roi i orffwys ar y bwrdd; Moira, y fam, yn gollwng dillad Michael ar draws traed ei frawd, Bartley, ac yn taenellu dŵr swyn drosto; Moira yn rhoi ei dwylo ymhleth ar draed Bartley; galarnad y gwragedd yn llenwi'r bwthyn. Mae'r gyfres yma o ddelweddau yn mynegi, yn weladwy ac yn glywadwy, y drasiedi sydd yn rhan o fywyd y bobl hynny sy'n dibynnu'n llwyr ar y môr am eu cynhaliaeth.

Heb y 'sbectacl', dim ond cerdd lafar yw drama. Mae'r dramodydd yn meddwl am y 'sbectacl' – yr actio, y set, y gwisgoedd, y goleuo – fel elfennau anhepgor o ddelwedd gyflawn y ddrama. Ni ellir gwahanu celfyddyd y ddrama a chelfyddyd y theatr. Gellir dweud bod dramodwyr yn llawer mwy na dewiniaid geiriau; maen nhw hefyd yn gerflunwyr gofod a choreograffwyr gweithredoedd. Er enghraifft, dyma gyfarwyddiadau llwyfan agoriadol y ddrama fer *Merched Eira* gan Aled Jones Williams:

> *Sŵn gwynt isel, pell.*
> *Pyls enfawr o oleuni.*
> *Peth o'r golau'n aros i ddangos eira mawr ym mhobman.*
> *Lluwchfeydd.*
> *Yr ochrau yn hollol ddu.*
>
> *Yn y man daw dwy hen wraig i'r fei.*
> *Edna yw'r cyntaf i ymddangos.*
> *Mae hi'n tynnu ffrâm Zimmer fel sled ac arno gês costus (math Antler). Bathing costume ffasiynol amdani; sbectol haul ddrudfawr; het haul; binoculars am ei gwddw.*
> *Ychydig wedyn daw Edith o'r cyfeiriad arall yn trio gwthio hen gadair olwyn hen drwy'r eira.*
> *Mae'r gadair olwyn yn llawn dop o'i 'phethau' mewn carrier bags.*

A dyna gychwyn siwrne Edna ac Edith a ddihangodd o'r cartref hen bobol ac sydd, erbyn cyrraedd oerni gaeafol amgylchfyd y llwyfan, yn sylweddoli eu bod wedi gwneud camgymeriad wrth gynllunio'u taith i wlad boeth ac i westy moethus. Mae'r daith yn un helbulus ond yn un sy'n weledigaeth newydd o'u bywydau, ac yn brofiad grymus fel y daw cynulleidfa'r theatr i weld. Fel y mae Edna yn dweud wrth Edith ar derfyn y daith:

EDNA: Paradwys! Rhywbeth y mae'n rhaid i ti ei golli yn wastadol ydy paradwys. Tyda ni ddim wedi'n gneud ar gyfer paradwys. Diflastod a thrais yn y diwedd ydy pob iwtopia. Pobl yda ni. Mae'r meiriol yn digwydd. Weli di? A dim ond yn y meiriol yr wyt ti'n ffeindio brics a mortar pwy wyt ti; fanno'n unig y medar cariad ddigwydd. Yn ei dlysni a'i ffyrnigrwydd. Hefo'i gusan a'i ffyrnigrwydd ...

Mae'r dramodydd yn creu drama o'i fyd ac yn creu byd yn ei ddrama. Nid mater o gynllunio golygfeydd yw hyn, ond cynllunio amgylchfyd yn llawn o gymeriadau 'byw', yn llawn o ddigwyddiadau cyffrous ac yn llawn o ganlyniadau ysgytwol. Rhaid cael lleoliad ar gyfer y cymeriadau, rhyw amgylchfyd pendant lle bydd y digwydd yn datblygu rhwng y cymeriadau. Efallai mai'r lleoliad a ddaw yn gyntaf i'r dramodydd, neu efallai y daw ar ôl i gymeriadau ymddangos yn y dychymyg. Gall y ddau beth, y cymeriadau a'u cyswllt agos â lleoliad, ymddangos gyda'i gilydd. Beth bynnag yw arddull y ddrama, boed yn realistig neu'n symbolig, rhaid bod yna leoliad neilltuol i'r digwydd. Efallai mai darparu gofod yn unig yw gorchymyn y dramodydd, er enghraifft – 'llwyfan gwag gyda dim ond mainc arno', yw'r cyfarwyddyd ar gyfer *Y Fainc*. Eto i gyd, wrth i'r ddrama ddatblygu, a'r ddeialog ddatgelu, fe ddarganfyddir mai mainc yng nghanol pentref yw lleoliad y chwarae.

Ar ddechrau *Un Briodas*, nid oes yr un gair am leoliad, ond wrth i'r gadwyn o olygfeydd ymddangos yn y sgript cawn fod yna leoliad i bob un ohonynt, lleoliad sydd yn cael ei ddiffinio gan ddodrefnyn neu ddarn o offer. Felly mae byd y ddrama yn greadigaeth gynhwysfawr sydd yn tarddu o ddychymyg y dramodydd. Gall ei greu o ddeunydd realistig neu o awgrymiadau sy'n rhannol symbolig. Wrth i'r dramodydd grynhoi'r cymeriadau, rhoi byd o weithgareddau iddynt a chreu deialog ar gyfer eu cyfathrach, mae'n rhaid ystyried eu lleoliad yn 'sbectacl' y llwyfan. Yn wir, gall y lleoliad awgrymu, cryfhau ac weithiau orfodi'r gweithredu. Dylai'r dramodydd ystyried, wrth lunio lleoliad y ddrama, y posibiliadau o ddefnyddio elfennau technegol i rymuso'r effaith weladwy a chlywadwy mewn cynhyrchiad. Cymerwch gyfarwyddiadau Aled Jones Williams eto, ar ddechrau *Merched Eira*:

> *Swn gwynt isel, pell. Pyls enfawr o oleuni. Peth o'r golau'n aros i ddangos eira mawr ym mhobman. Lluwchfeydd. Yr ochrau yn hollol ddu.*

Dyma ddramodydd prin sy'n defnyddio'r holl adnoddau theatrig er mwyn creu lleoliadau ar gyfer ei gymeriadau a'u gweithredoedd. Ceir enghraifft arall o greu amgylchfyd anghyfarwydd ar gyfer ei ddrama fer *Pêl Goch*:

> (*Y theatr gyfan mewn tywyllwch. Clywir sŵn cŵn yn udo. Fel yn nhrymder nos a'u cyfarthiad. Saib gweddol hir. Yna ergyd gwn. Un ar ôl y llall yn sydyn. Yn syth ar ôl hynny clywir llais hogan fach yn llafarganu "... Ti'n ... oer! ... Ti'n oer! ... Ti'n oer! ... Ti'n oer!" Saib. Clywir y gerddoriaeth Here come de honey man – Miles Davis. Ar ôl peth amser o'r miwsig cyfyd golau glas, myglyd ar hyd ymyl y llwyfan ...*)

Yn ei ddrama *Wal*, mae'r un awdur yn defnyddio'r wal fel 'rhyw anghenfil mawr' sy'n llywodraethu ar y ddau weithiwr, Eddy ac Alji, a'r un pryd mae wal yn fetaffor o ymdrechion y ddau i geisio deall bywyd. Ond yn ei ddrama fer *Fel Ystafell*, mae'r set ei hun yn drosiad o 'enaid' y cymeriad Tom:

> (*Y Set – Ystafell fudur, wag. Mewn un wal ffenest lychlyd. Wrth ymyl y ffenest gwely ysbyty. Offer drip, locer ag ati wrth ymyl y gwely. Cyflwr yw'r set mewn gwirionedd, nid lleoliad pendant. Dyma "enaid" Tom. Mae'r ddrama'n digwydd y tu mewn i Tom.*)

Gall goleuo'r llwyfan ei hun awgrymu awyrgylch addas i greu lleoliad, heb angen unrhyw set na dodrefn. Gall awgrymu tymor a thywydd, amser o'r dydd a thymheredd. Mae'n bwysig i'r dramodydd wybod am y posibiliadau technegol hyn wrth fynd ati i greu amgylchfyd ac awyrgylch i leoliad drama.

HIWMOR A CHOMEDI A FFARS

Cryfder y gomedi fer yw ei bod yn rhoi darlun cryno o ffaeleddau a beiau, gwendidau ac oferedd dynoliaeth, a hynny drwy eu datgelu mewn sefyllfaoedd sy'n adloniadol ac, ar un ystyr, yn addysgol i gynulleidfa. Gellir defnyddio'r ymadrodd Saesneg 'a short, sharp shock' i ddisgrifio cnewyllyn comedi fer.

O safbwynt traddodiad y gomedi fer Gymraeg, bu'r hyn a elwir yn 'gomedi cegin' yn boblogaidd am flynyddoedd lawer. Dyma'r math o ddrama ddaeth yn adnabyddus yn nwylo cwmnïau amatur lleol mewn pentrefi a threfi trwy'r wlad ar ddechrau'r ugeinfed ganrif. Lluniodd dramodwyr fel D. T. Davies, J. O. Francis, R. G. Berry ac Eic Davies, ddegau o ddramâu byrion yn eu hamser, gweithiau a roddodd lawer o bleser i gynulleidfaoedd lleol a chenedlaethol, ac mae rhai ohonynt yn dal i gyflawni hynny.

Cymerwn, er enghraifft, y gomedi fer *Y Pwyllgor* gan D. T. Davies. Er ei bod hi'n deillio o draddodiad cynnar y gomedi cegin, eto i gyd mae ynddi elfennau comedïol sy'n goroesi, ac, oherwydd ei chrefft a'i chynnwys, mae'n dal i fod yn gyfrwng effeithiol i adlonni cynulleidfaoedd heddiw. Sylwer ar y sefyllfa ogleisiol hon yn y ddrama, pan mae aelodau'r pwyllgor ar ganol dewis testunau addas i eisteddfod y capel:

JACOB:	(*Yn sychlyd*) Mr Cadeirydd, otyn-ni wedi dod yma heno i glwad hanas caru Malachi Williams?
MALACHI:	Dyna chi, Mari, arnoch chi ma'r bai, chi ddechreuwch cofiwch – ond fe licswn i gal 'Y don o flan y gwyntodd' yn 'steddfod Pisgah.
MARI:	Licswn inna hefyd, fe ddaw'r hen amsar 'nôl mor felys.
MALACHI:	Daw-a, daw; Matthew, ma'r 'Don o flan y gwyntodd' yn glassical, on'd yw hi?
JACOB:	Classical, nag yw!
MALACHI:	Ma-hi'n ddicon mwy classical na'r 'Blotyn bach'. Dewch nawr, Matthew, gwetwch ych barn yn onast.
MATTHEW:	(*Yn ddifrifol*) 'D os dim cerddoriaeth glassical i gal yn Gwmrag.
OBADIAH:	Ho! dyna Gymro, dyna Gymro; sôn am anwybodath!
MARI:	Classical ne bito, 'r yw-i am gal y dernyn yna.
MATTHEW:	Ma'n ddrwg gen-i fynd yn ych herbyn chi, ond fel cerddor ma'n rhaid i fi fod yn gydwbotol. 'R yw-i'n cynnig 'Worthy is the Lamb'.

MALACHI:	Os yma rywun yn eilio'r cynyciad?
OBADIAH:	(*Yn ffyrnig*) Nagos!
MATTHEW:	Mannars, Obadiah, mannars os gwelwch chi'n dda.
MALACHI:	Ryw gynyciad arall?
MATTHEW:	(*Yn codi*) Os nagw-i yn cal ym ffordd gita'r gerdd-oriath, dyma fi'n mynd sha thre.
OBADIAH:	Clywch, clywch.
JACOB:	Ishtedd i lawr, Matthew, a pitwch a bod shwt fabi. 'R yw-i'n cynnig 'Blodyn bach wyf fi mewn gardd'.
MALACHI:	Os yma rywun yn ddicon dwl i eilio hwnna?
MARI:	Os; 'rw wy-i yn 'i eilio-fa.
MALACHI:	Mari!

Un o nodweddion sylfaenol comedi yw datgelu gwendidau dynoliaeth ar lwyfan. Mae'r dramodydd yn portreadu ffyliaid ymffrostgar mewn sefyllfaoedd sy'n datgelu eu ffolinebau, a hwythau'n aml heb sylweddoli hynny. Gweld ein beiau yn cael eu perfformio o flaen ein llygaid, a hynny'n destun chwerthin a gwawd, dyna yw craidd y mater yn y theatr. Gall comedi dyfu o gamddealltwriaeth. Fel y dywed Emyr Humphreys yn *Deg Drama Wil Sam* wrth gloriannu cyfraniad Wil Sam i'r theatr Gymraeg:

> Wedi'r cwbl nid oes gwell deunydd crai i ddrama na ffaeleddau cymdogion a'u mynegiant o wendidau aneirif yr hil. Rhan o gamp y bardd hwn yw cynnwys llond catalog o bechodau mawr a bach heb amharu fawr ar ein mwynhad o'r cymeriadau diddan sydd yn eu cyflawni, na'n serch at y gymdeithas unigryw a roes fod iddynt.

Medd Harri Parri yn ei feirniadaeth ar gyfansoddi comedi fer yn Eisteddfod Genedlaethol Aberystwyth, 1992:

> Mae ysgrifennu comedi o unrhyw fath yn waith ingol o anodd, ond mae gwneud hynny y tu mewn i ofod drama fer yn anos byth. Oherwydd y byrdra a'r crynhoi disgwyliedig mae gofyn i'r hwyl godi i'r wyneb yn fuan ac i'r ddrama, i raddau mawr, fod yn ddigri drwyddi.

141

Yn nhraddodiad y ddrama fer Gymraeg fe geir nodweddion cryf o gomedi, ffurf a ddifyrrai gymdeithas bentrefol ar noson o ddramâu byrion mewn festri neu neuadd bentref. Yr oedd mynd ar y gomedi gegin un act. Aeth dramodwyr y cyfnod ati i ateb gofynion cwmnïau amatur ac yn sgil hynny gynulleidfaoedd lleol. Ysgrifennwyd comedïau a ddeilliai'n bennaf o droeon trwstan bywyd gwledig a diwydiannol. Byddai'r dramodwyr yn deall yn iawn y math o gymeriadau 'Cymreig' a ddisgwylid yn y plotiau, a'r mathau o wrthdaro a diweddglo a adlonnai'r cynulleidfaoedd. Dyrchafwyd safonau'r math yma o gomedi gan gynnyrch y crefftwyr gorau yn eu plith, gwŷr fel D. T. Davies, J. O. Francis ac R. G. Berry.

Un o'r comedïau mwyaf poblogaidd a chrefftus yn y Gymraeg yw *Y Potsiar* gan J. O. Francis. Nod Tomos Siôn yw dal y gwningen a elwir gan y potsieriaid lleol yn Hen Sowldiwr. Y rhwystr ar ei ffordd yw'r ffaith ei fod wedi cael diwygiad. Ei gydymaith arferol yw Dici Bach Dwl, sydd yn berchen ar fferet addas. Mae Dici'n ceisio perswadio Tomos i adael ei ddaliadau crefyddol diweddaraf ar ôl. Ond yn ofer y mae'n ceisio'i berswadio nes i'r ddau ddarganfod bod Dafydd Hughes y Siop, a blaenor ar ben hynny, wedi bod wrthi'n ceisio dal yr Hen Sowldiwr hefyd. Mae hyn yn perswadio Tomos i ennill y blaen ar y rhagrithiwr Hughes. Mae'r ddeialog yn gyforiog o iaith rymus a bywiog. Er enghraifft, pan mae Dici wrthi'n ceisio perswadio Tomos i adfer yr hen ddyddiau pan fyddent yn potsio:

DICI: Ydych chi'n cofio'r noswaith, Tomos Siôn, pan oedden ni ar ôl Samwn, a phan ddaliodd y cipars fi? (*Yn chwerthin wrth gofio am y peth*)

TOMOS: (*Yn chwerthin ar ei waethaf*) Ydw. Roeddet ti'n lwcus mod i gyda ti'r noson hynny.

DICI: Dyna sport oedd mynd ar ôl y samwn, ontefe, Tomos Siôn? Meddyliwch am danon ni! Yr afon yn dywyll i gyd – fi yn dal y ffagl, a chithe â'r tryfer – yn disgwyl – a disgwyl – a dim byd i'w glywed o un man, dim ond sŵn yr afon yn llifo dros y cerrig, a'r gwynt yn suo yn y dail uwch ein pennau.

TOMOS: (*Yn neidio ar ei draed*) Taw sôn, Dici! Pwy feddyliai y doi'r diafol i demtio dyn yn ffurf Dici Bach Dwl?

DICI: Ac ambell waith, ar ôl sgyfarnog y bydden ni; fi wrth un bwlch a chithe wrth y bwlch arall, a Ffan yn ei chodi yn y cae. Ac yna mi ddown atoch chi, neu chi ato i, a mi fydden yn chwiban ein dau. (*Yn chwiban y nodau arferol ddwywaith, ac yn distewi'n sydyn.*)

Creisis y ddrama fer ddisglair hon yw'r foment y mae'r ddau botsiar yn sylweddoli bod y Dafydd Hughes hollalluog am ddal yr un ysglyfaeth â hwythau. O hynny ymlaen mae'r gomedi yn codi i'w huchafbwynt wrth i Dici sylweddoli bod Tomos wedi cael diwygiad. Mae Dici yn siarad â Ffan, y fferet:

DICI: Mae e' wedi dod 'nôl ato ni, Ffan. Ry'n ni gyda'n gilydd eto, ni'n pedwar. (*Ffan yn cyfarth*) H'sh, Ffan, dim gair! Dyna ti! Sigla dy gwt. Ry'n ni wedi ennill o'r diwedd. O'r diwedd! O! mae yna rywbeth y tu fewn i fi sy'n canu dros y lle i gyd. A mi fydd y sêr bach gwyn yn chwerthin, rwy'n siŵr, wrth ein gweld ni yn cerdded ar hyd yr hewl unwaith eto. Mi fydd yna sport heno – o'r fath sport! Lawr drwy'r caeau, gan edrych yma ac acw, a'r gwynt o'r môr yn ein gwynebau.

Ar eiliadau fel hyn, mae'r ysgrifennu'n codi i lefel farddonol, a'r dramodydd yn dangos i ni mor effeithiol yw cynllunio cymeriadau, sefyllfa, awyrgylch a strwythur cadarn yn gefn i grefft y ddrama fer.

Mae J. O. Francis yn cyfyngu'r plot i un brif weithred, a thrwy ei gynllun a'i ddyfeisgarwch mae'n medru creu cyffro'r hela anghyfreithlon. Marged, gwraig Tomos, sydd â'r gair olaf, ac ergyd gomedïol y ddrama. Ar ddechrau'r digwydd mae Tomos yn gofyn i'w ferch fynd i siop y bwtsiwr trannoeth i nôl cig. Ar derfyn y chwarae mae Marged yn galw ar ei merch i beidio â mynd i siop y bwtsiwr wedi'r cyfan. Dyna'r weithred sy'n clymu'r plot at ei gilydd, yn uno'r gomedi'n gelfydd, ac sy'n cyflawni, dros dro, nod y prif gymeriadau.

O droi at gomedïwr crefftus fel Wil Sam, fe geir yn ei waith ef nodweddion hollol wahanol i draddodiad y gomedi Gymraeg. Yn y rhagair i'w *Chwe Drama Fer*, mae Elis Gwyn Jones yn sôn am y math o gomedi a geir gan Wil Sam:

> Math o bathos, yn sicr, a dim sbeit na chasineb. Dyn felly oedd W. S. Jones. Os oes llinyn yn rhedeg drwy'r cwbl, seithugrwydd y dyn sy'n methu gwneud yr hyn a fynno sydd yma; pathos y dyn bychan mewn cymdeithas. A cheisiai osgoi unrhyw ddull ystrydebol o ysgrifennu neu actio.

Er bod yna elfen o gomedi blwyfol, elfen o draddodiad gwledig y ddrama fer Gymraeg yn ei waith, mae Wil Sam yn torri tir newydd wrth iddo gynnwys haenau o ffantasi a dychan yn ei ddramâu byrion. Parodd hyn i Emyr Humphreys, yn *Deg Drama Wil Sam*, ei osod wrth ochr 'ffantasi ddihysbydd, farddonol Ionesco'.

Un o nodweddion sylfaenol comedi yw gweld dyn yn cael ei dwyllo a'i ddatgelu am yr hyn ydyw. Dyfais arall gan gomedïwr yw'r modd y gellir datguddio gwendidau cymeriad heb yn wybod iddo.

Yn *Y Briodas Orfod* gan Molière mae'r hen ŵr, Sganarelle, am briodi'r ferch ifanc, Dorimene. Mae'r hen ŵr am gael cyngor ei gymydog, Geronimo. Mae Geronimo yn annog iddo briodi. Gwelwn, yn yr olygfa hon, fod Sganarelle yn datgelu ei fod yn hawdd ei arwain, heb iddo sylweddoli hynny ei hun, ac, ar lefel arall, yn datgan ei ffolineb yn gyhoeddus, o flaen cynulleidfa'r theatr.

SGAN: Yr ydych yn fy nghynghori felly o ddifri?
GER: Wrth gwrs fy mod. Ni allech fyth wneud yn well.

SGAN:	(*Yn dawnsio gan lawenydd*) Na chyffro 'i o'r fan yma! Ni allaf ddatgan fy ngorfoledd am i chi fy nghynghori felly fel ffrind gwirioneddol.
GER:	Ond arhoswch, os gwelwch yn dda, pwy yw yr hon yr ydych yn mynd i'w phriodi?
SGAN:	Ond Dorimene!
GER:	Dorimene? Yr eneth ddel a thrwsiadus honno?
SGAN:	Wrth gwrs.
GER:	Merch Mr Alcantor?
SGAN:	Y hi ydyw.
GER:	A chwaer Mr Alcidas, sy'n chware â gwisgo cleddyf?
SGAN:	Felly'n union.
GER:	Gwarchod pawb!
SGAN:	Beth ddwedwch chi am hynny?
GER:	Campus! Campus! Priodwch yn ddi-oed.
SGAN:	Onid oeddwn yn iawn i ddewis y fath un?
GER:	Yn ddiamau felly. O, mor ddedwydd fydd eich priodas! Brysiwch i'w dathlu ar unwaith.

Dywedir bod ysgrifennu comedi yn anos nag ysgrifennu trasiedi. Mewn trasiedi gellir rhag-weld beth fydd tynged dyn – mae'r patrwm yn glir ac wedi ei osod ymlaen llaw fel petai. Mae'r cloc wedi ei weindio a'i adael i ddadweindio, fel y bydd tynged yn dadweindio'n anochel. Mewn comedi gall fod yna droeon trwstan cymhleth ac enbyd cyn i'r diweddglo annisgwyl gyrraedd. Yn y pen draw, islaw'r gomedi, fe geir elfen ddofn o ddifrifoldeb, o dristwch, os nad o drasiedi, yn enwedig pan ddatgelir ffolinebau dynoliaeth gerbron cynulleidfa mewn theatr. Gweld tynged pobl eraill yw swyddogaeth trasiedi; gweld ein gilydd yw swyddogaeth comedi. Ond beth bynnag fo'r cyfrwng, pa un ai comedi neu drasiedi, yr un yw galwad y grefft o lunio darn o gelfyddyd gynhwysfawr ar gyfer y theatr.

Bu *Cap Wil Tomos* gan Islwyn Williams yn gomedi fer boblogaidd yn ei chyfnod. Yn nhafodiaith Cwm Tawe mae'r ddeialog, ac mae hynny'n ychwanegu at rediad y gomedi ei hun. Mae Wil yn pryderu am adwaith ei fam i'w benderfyniad i chwarae rygbi dros ei wlad.

IFAN: Wel, 'machgen i sut mae'n timlo i fynd i whare o flan deu-
gain mil o bobl? Bydd e'n brofiad go anghyffredin, allwn i
feddwl.

WIL: O, wy'n timlo'n ôl reit, nhad. Yr unig beth diflas— (*yn
amneidio tua'r gegin fach*).

IFAN: O, nawr, paid â phryderu rhagor am dy fam. Bydd dy fam
yn iawn.

WIL: Bydd, wy'n gwpod hynny, ond—

IFAN: Bydd!

WIL: Ond hen beth diflas iawn yw câl ych treto fel rhyw fath o
griminal dim ond achos bod bachan yn ffond o gêm fach o
ffwtbol.

Ymdrech ei dad a'i wncwl i gael Wil i'r gêm ryngwladol mewn
pryd yw nod y cymeriadau, a'r nod hwnnw sy'n cwtogi'r plot i
un prif ddigwyddiad, ac sy'n adlewyrchu nodweddion disgybledig
cyfrwng y ddrama fer. Dyma'r cap cyntaf i Wil ei ennill dros ei
wlad, ond mae yna rwystrau. Y prif rwystr yw'r fam sy'n llwyr yn
erbyn y gêm:

TOM: Wel, beth yw hi o'r gloch? Dere mlân, Jane!

JANE: 'Dwy i ddim yn dod, thenciw.

TOM: Ddim yn—?

IFAN: Na, – ym – dim ond y ni'r dynon, Tom.

TOM: O, wy'n gweld. O, 'dwyt ti ddim yn dod, 'te.

JANE: Nag wy i.

TOM: We-el, 'na fe, wrth gwrs: hen le od yw ca ffwtbol i fynywod—

JANE: Hen le od yw'r ca ffwtbol i bawb, Tom.

Mae hi am beintio'r sgyleri. Wrth i'r sefyllfa ddatblygu, mae'r fam
yn galw fwyfwy am help i beintio, a hithau'n wynebu ymdrech
y dynion i gyrraedd y gêm. Mae cnewyllyn yr elfen gomedïol yn
y gwrthdaro rhwng yr ymdrech i fynd, a'r rhwystr yn erbyn
hynny. Datgelir uchafbwynt y gomedi pan mae'r fam yn rhoi
sanau o'r lliw anghywir mae hi wedi eu gweu i'w mab ar gyfer y
gêm, ac yntau'n mynnu eu gwisgo. Wedi i'r dynion adael daw

146

ergyd derfynol y gomedi pan fydd y fam yn sefyll wrth y radio ac yn paratoi, hwyrach, i wrando ar y gêm wedi'r cyfan.

Mae'r plot wedi ei gyfyngu i nod y dynion o fynd i'r gêm, a gwrthwynebiad y fam i hynny. Nid oes dim yn y cynllun i gymhlethu'r strwythur uniongyrchol hwnnw.

Yr un strwythur cyfyng a disgybledig sydd i'w weld yn y gomedi fach glasurol, *Y Briodas Orfod* gan Molière. Nod yr hen lanc Sganarelle, fel y crybwyllwyd eisoes, yw priodi'r hoeden ifanc Dorimene. Y rhwystrau yn erbyn hyn yw ei oedran ef ei hun, ynghyd â'r diffyg cyngor a gaiff gan ddoethuriaid ymffrostgar a hunanol, y mae'n well ganddynt drafod athroniaeth na rhoi cyngor uniongyrchol.

SGANARELLE: *(Wrtho'i hun)* I ddiawl â'r dysgedigion yma na fynnant wrando ar ddyn! Gwir a ddywedwyd wrthyf nad oedd y Meistr Aristotl yma yn ddim byd ond clebryn dwl. Rhaid i mi fynd a chwilio am y llall.

Daw creisis y gomedi pan fydd Sganarelle yn clywed bod Dorimene am ei briodi am ei arian yn unig. Mae hi'n trafod y sefyllfa â'i hen gariad, Lycaste, a Sganarelle yntau'n clustfeinio gerllaw.

LYCASTE: A'r ydych yn ddigon calon-galed i allu anghofio fel hyn fy nghariad tuag atoch a'r geiriau caredig a syrthiodd oddi ar eich gwefusau?

DORIMENE: Y fi? Nac ydwyf, ddim o gwbl. Yr ydych mor barchus yn fy ngolwg yn awr ag erioed, ac ni ddylech ofidio dim oherwydd y briodas yma. Nid wyf yn priodi dyn fel Sganarelle – *(Sgaranelle yn cyffroi)* – o gariad ato am foment. Ei gyfoeth yn unig sy'n fy nghymell i dderbyn ei gynnig.

Daw uchafbwynt y gomedi pan mae Sganarelle am dynnu allan o'r cytundeb priodasol, ond mae Alcidas, brawd y dwyllodres, yn herio Sganarelle â chleddyf a phastwn.

ALCIDAS:	Gyda'ch caniatâd, ynte. (*Yn ei bastynu*)
SGANARELLE:	(*Yn ceisio dianc a gweiddi*) Mwrdwr! Mwrdwr!
ALCIDAS:	Y mae'n flin gan fy nghalon i, syr, eich bod yn fy ngorfodi i ymddwyn tuag atoch yn y fath fodd; ond ni pheidiaf â'ch curo hyd oni chaf eich cydsyniad i ymladd neu ynte i briodi fy chwaer.
SGANARELLE:	O'r gore, ynte. Mi briodaf; gwnaf!

Yn niweddglo'r gomedi mae Sganarelle am briodi wedi'r cyfan. Er bod yna ddeg golygfa fer iawn o fewn strwythur y ddrama hon, a hynny yn ôl confensiwn y cyfnod, gwelir yma eto fod sefyllfa ganolog y plot yn cael ei rheoli a'i ffrwyno gan nod a rhwystrau'r prif gymeriad yn ei awydd i briodi.

Mae ffars yn ffurf gwbl dderbyniol ar gomedi, lle caniateir torri rheolau arfer a chonfensiwn, ond mae'n rhaid i'r cymeriadau fod yn rhai credadwy – faint bynnag eu hynodrwydd. Un o broblemau ysgrifennu comedi a ffars yw'r duedd i'r hwyl fynd dros ben llestri a glanio ym myd yr afresymol (nid o safbwynt ystyr *genre* yr Afreswm).

Yn *Hollti Blew* gan N. F. Simpson, er enghraifft, mae Mabli a Iori yn cadw camel o'r enw Carnabwth yn eu gardd. Maent am gyfnewid y camel am neidr cymydog. Pan ddaw Wncwl Ben i ymweld â nhw, mae'n ymddangos ar lwyfan fel merch. Hynny yw, mae'r byd rhesymol yn cael ei droi â'i ben i waered. Troir problemau beunyddiol yn obsesiynau a'r obsesiynau'n oddrychol ar lwyfan. Mae'r obsesiynau hyn yn nodweddiadol o ddramodwyr yr Afreswm yn ystod chwedegau'r ganrif ddiwethaf. Herio rheswm oedd un o'u hamcanion, a chwyldroi confensiwn. Yr oedd y math yma o ffars, felly, yn rhan o gonfensiwn cyfnod.

Yn ateb i awgrym Myrddin ap Dafydd nad ffarsiau yw ei waith, dyma a ddywed Wil Sam mewn cyfweliad yn *Deg Drama Wil Sam*:

> Dyna un peth sy'n dân ar fy nghroen i. Y busnas yma sgin pobol o feddwl mai rwbath comic ydi comedi. Dyro di drôns hir ar

rywun a'i hel o i'w wely a ballu – wel, dydi o ddim yn dal 'te. Mae isho rwbath yn niwadd y shot sy'n amgenach na hynny. Mae'n rhaid bod yn fathemategol mewn ffars jyst iawn – crefft sydd yno a dim byd arall. Mi fydd y digrifwch yn gwella, yn twchu os oes 'na rwbath o dan y croen. Mae rhywun yn medru meddwl rhywfaint am hwnnw ar ôl mynd adra.

Medd Aled Jones Williams am natur ei ddramâu yntau:

> Mae yna dristwch yn y cymeriadau, mae yna gomedi ynddyn nhw hefyd. Am wn i, ar y cyfan, liciwn i feddwl am fy hun fel rhywun sy'n ysgrifennu comedïau, ond nid rhywbeth sydd yn 'hahahahahaha' bob munud.

Ac mae'n mynd ymlaen i ddweud: 'dwi wedi licio hiwmor Iddewig erioed, sydd yn deud y pethau mwyaf digri yn y sefyllfaoedd mwyaf uffernol.'

CABOLI

Wrth i'r ysgrifennu fynd yn ei flaen, daw'r cymeriadau, eu gweithrediadau a'u penderfyniadau, eu gwrthdaro a'u hamheuon, neu eu nod a'u rhwystrau, yn gliriach. Dylent, erbyn diwedd drafft cyntaf y ddrama fod wedi tyfu'n gymeriadau mwy tri dimensiwn na phan ymddangosasant yn y dychymyg gwreiddiol. Chwistrellir iddynt, yn ôl y galw, ymddangosiad allanol, personoliaeth, lleferydd, meddwl, dychymyg, rhagfarnau, nod, rhwystrau, dyheadau, emosiwn a gwendidau.

Un peth pwysig i'w gofio wrth ysgrifennu'r drafft cyntaf yw osgoi dychwelyd bob eiliad at yr hyn a ysgrifennwyd eisoes. Dal ati i osod y cyfan ar bapur sydd orau. Os yw'r dychymyg yn sychu, os na fedrir cario ymlaen oherwydd bod y dychymyg yn hysb ac yn troi yn ei unfan am ryw reswm, yna gwell stopio a cherdded i ffwrdd o'r broses – anghofio'r creu am dipyn, hyd nes y daw fflach i'r fei drachefn. Rhaid cofio bod ysgrifennu drama yn broses gymhleth iawn, yn enwedig o ystyried yr holl wahanol elfennau sydd yn mynd i'r pair i'w chynllunio. Gall unrhyw beth ddigwydd i sefyllfa, cymeriadaeth, gweithredu, argyfwng a gweu deialog wrth geisio jyglo'r holl linynnau hyn yn y meddwl a'r dychymyg. Rhaid aros hyd nes bydd cyfle pellach yn ei gynnig ei hun, a'r meddwl y pryd hynny'n glir ac yn effro, a chyfeiriad newydd yn agor.

Holiadur ar gyfer adolygu a chaboli

Cynnwys

Pa brofiad dynol mae'r ddrama'n ei ddatgelu?

Beth yw consŷrn canolog y ddrama neu broblem ganolog y cymeriadau?

Beth yw'r pwnc? Pa wybodaeth a gyflwynir?

Beth yw sefyllfa allweddol y ddrama? Pa ddigwyddiad sy'n ysbarduno'r sefyllfa?

Pwy yw'r cymeriadau? Ble maen nhw? Pam maen nhw yno?

Pa syniadau sylfaenol sydd ym meddwl pob cymeriad?

Pa syniad canolog sy'n deillio o'r ddrama?

Pa fath o iaith sy'n cario'r ddrama? Ydy'r ddeialog yn gredadwy?

Ffurf

Ydy'r ddrama yn drasiedi, yn gomedi, yn felodrama, neu'n gymysgedd?

Beth yw prif weithred y ddrama?

Beth yw strwythur y ddrama?

Sut mae prif weithredoedd y ddrama'n uno'r stori, y plot a nod y cymeriadau?

Sut mae'r ddrama'n arddangos ac yn cyflawni disgwyliadau'r cymeriadau?

Pa fath o fyd sy'n cael ei bortreadu?

Beth yw hyd y ddrama? Ydy maint y deunydd yn addas i'r hyd?

Pa bwerau sy'n gwrthdaro yn y ddrama? Pwy sy'n ennill, a pham?
Pa fath o stori a gyflwynir?
Beth yw natur uchafbwynt y ddrama? Ai canlyniad damwain ydyw, neu ddarganfyddiad, neu benderfyniad?

Arddull
Beth yw prif arddull y ddrama? A yw'n gyson trwyddi?
Sut mae iaith ac ymddygiad y cymeriadau'n wahanol i fywyd bob dydd?
I ba raddau mae'r cymeriadau a'u gweithgareddau'n ymddangos yn real?
Pa mor farddonol neu ryddieithol yw'r ddeialog?
Ydy'r iaith yn gorwedd yn esmwyth ym mynegiant y cymeriadau?
Ydy'r ddrama'n digwydd mewn lle sy'n hybu'r gweithredu?
Ydy'r cyfarwyddiadau llwyfan sy'n nodi'r safleoedd, y gwisgoedd a'r offer yn addas ar gyfer y cymeriadau a'r gweithredoedd?

Pwrpas
Beth yw pwrpas y ddrama o safbwynt profiad emosiynol neu syniadol?
Sut mae'r ddrama'n adlewyrchu bywyd?
Ydy'r ddrama'n taro deuddeg? Ym mha ffordd?
I ba raddau mae hi'n wreiddiol?
Beth sy'n draddodiadol yn ei chylch, neu beth sy'n amlygu tuedd arbrofol?
Ydy pwrpas y ddrama'n eglur?

Holiadur ar gyfer y drafft terfynol

Ydy'r hyd yn ymateb i ofynion y ddrama fer?
Oes yna ormod wedi ei wthio i'r strwythur, a'r digwydd o ganlyniad yn orlwythog?

A oes ysbardun sy'n ddigon cryf i wthio'r ddrama yn ei blaen?
A oes argyfwng ac uchafbwynt effeithiol yng ngwead y digwydd?
A yw'r cymeriadau'n grwn ac yn meddu ar bosibiliadau tri
dimensiwn ar lwyfan?
Ydy'r ddeialog yn rhedeg yn llyfn ac yn esmwyth?
A oes llais unigryw gan bob cymeriad, neu a ydynt i gyd yn siarad
â llais yr awdur?
Ydy'r cymeriadau'n siarad am emosiynau yn hytrach na'u
harddangos?
A oes yna ddigon o ddigwydd (digwydd yn ystyr ehangaf y gair
– yn gorfforol, yn seicolegol ac yn emosiynol) i gynnal diddor-
deb cynulleidifa a'i hadlonni trwy'r perfformiad? Hynny yw, a
ydy'r cymeriadau'n gweithredu yn ogystal â siarad?
Ydy'r diweddglo'n adlewyrchu nod y cymeriadau?
A oes gormod, neu ry ychydig, o sylwedd yn y cynnwys, y
gymeriadaeth, y ddeialog, y digwydd a'r plot?

RHOI'R DDRAMA FER AR BRAWF

Mae'n hollbwysig i ddramodydd fod yn ymwybodol, o'r dechrau
cyntaf mai ar gyfer y theatr y bydd yn ysgrifennu drama ac nid
i'w darllen mewn cadair esmwyth.

Nid gorchwyl lenyddol ydyw; nid mater o ysgrifennu deialog
hyfryd ac iaith ystwyth, gaboledig yw'r dasg. Mae beirniaid
yr Eisteddfod yn cyfeirio'n gyson at wendid dramâu sydd yn
ddiffygiol o safbwynt eu cymhwyster i'w llwyfannu. Medd Valmai
Jones, Gareth Miles a Manon Rhys ym meirniadaeth cystadleu-
aeth y ddrama fer yn Eisteddfod Genedlaethol Bro Ogwr, 1998:

> Ni ddangoswyd fawr o ymwybyddiaeth o bwysigrwydd theatrig
> cynildeb, eironi, rhythmau iaith, seibiau a thawelwch, heb sôn
> am elfennau corfforol a gweladwy.

Tasg y dramodydd yw gweld a chlywed y ddrama'n ymddangos yn fyw gerbron cynulleidfa. Hanner y gwaith yw ysgrifennu'r sgript. Yr ail hanner yw ei hymddangosiad ar lwyfan dan ofal cyfarwyddwr, actorion a thechnegwyr. Mae creu drama fer, felly, yn dasg fanwl. Mae creadigaethau fel nofel, stori fer a barddoniaeth yn gadael yr awdur ac yn mynd yn uniongyrchol i ddwylo'r unigolyn, ac yntau'n eu darllen a'u gwerthfawrogi ar lwyfan ei feddwl ei hun. Ond rhaid i ddrama fer gael ei mabwysiadu gan griw cyfan o bobl theatr, i'w dehongli gerbron cynulleidfa.

Mae'n bwysig, felly, i ddramodydd geisio rhoi ei waith ar brawf os gall, cyn iddo ymddangos mewn cynhyrchiad cyflawn yn y theatr, a hynny i gynulleidfa sy'n talu am y profiad. Mae beirniaid drama'r Eisteddfod Genedlaethol byth a hefyd yn galw ar i ddarpar ddramodwyr y ddrama fer ddarllen eu gwaith nifer fawr o weithiau er mwyn clywed y ddeialog a gweld ar lwyfan eu meddwl y symud a'r cyffro corfforol, cyn cynnig y gwaith yn y lle cyntaf i gystadleuaeth. Dyna a wnaeth Bethan Jones a Robin Jones yn eu beirniadaeth ar gyfansoddi drama fer yn Eisteddfod Genedlaethol Casnewydd, 2004:

> Mae galw mawr am ddramâu byrion addas gan gwmnïau lleol sydd, yn aml, yn gorfod troi at gyfieithiadau. Mae llunio drama fer hefyd yn gyfle da i ddramodydd arbrofi gyda'i grefft. Bu taith Sgript Cymru y llynedd gyda chyfres o ddramâu gan ddramodwyr newydd, o dan y teitl 'Diwrnod Dwynwen' yn enghraifft dda o hyn. Hoffwn annog y cystadleuwyr yn y gystadleuaeth hon eleni i gysylltu â'r cwmni hwnnw sy'n arbenigo mewn datblygu gwaith newydd ac yn cynnal cyrsiau a gweithdai ledled Cymru.

Ac yn eu beirniadaeth ar ymgais un o'r cystadleuwyr yn yr un gystadleuaeth yn Eisteddfod Genedlaethol Maldwyn a'r Gororau 2003, dyma a ddywedodd Gwynne Wheldon Evans a Sioned Wiliam:

> Mae'n gweithio fel drama naturiolaidd, fel drama wleidyddol ac fel drama seicolegol. Ei hunig wendid yw fod yna dinc fymryn yn

felodramatig yn yr ail hanner sy'n pwyso'n drwm ar y chwarae, ac mi fyddai'n dda pe bai'r awdur yn medru cael gwared o'r elfen hon. Mae'n siŵr y byddai hynny'n digwydd yn naturiol pe bai'r awdur yn cael cyfle i ymarfer y ddrama gydag actorion a chyfarwyddwr.

A dyma'u sylwadau am gystadleuydd arall yn yr un gystadleu-aeth:

> Câi'r awdur yma fudd mawr o weithio gydag actorion i wella'r ddrama hon. Byddai'r profiad o glywed y gwaith a chael gwell argraff o'r diffyg datblygiad dramatig yn tanlinellu gwendidau'r ddrama tra'n caniatáu i'r awdur ymfalchïo yn rhythmau'r iaith.

Awgrymir hefyd i ddramodydd gynnig ei waith i gwmni lleol neu i ddosbarth o actorion, mewn ysgol neu goleg, er mwyn symud y sgript a gweld a yw'n gweithio. Yn y cyswllt hwn rhaid derbyn adborth er mwyn gwella'r sgript.

Mewn drama fer, rhaid bod yna lais a meddwl ac emosiwn sydd yn unigryw i bob cymeriad. Clywir weithiau fod beirniaid yn condemnio gwaith am fod pob cymeriad yn siarad yn yr un modd, ac mai llais y dramodydd yn unig sydd i'w glywed o enau pob cymeriad. Mae hyn yn esgeulus ac yn ddi-grefft ar ran y dramodydd ac yn arwydd o ddiffyg disgyblaeth a diffyg sensitif-rwydd i ofynion creu cymeriadau unigol ac unigryw.

Mae hyd yn oed y meistri'n cyfaddef bod rhoi eu dramâu ar brawf yn nwylo cyfarwyddwr ac actorion yn orchwyl gwerth chweil. Medd Saunders Lewis yn ei ragymadrodd i'w ddrama *Cymru Fydd*:

> Cefais y fantais o ddiwygio'r ddrama hon yn ystod tridiau o baratoi ac ymarfer a gweithio da yn y Felinheli gydag actorion a chynhyrchydd y Cwmni Theatr Gymraeg. Y mae Mr Wilbert Lloyd Roberts a phob un o'r actorion wedi helpu i wella rhyw ran o'r dialog neu ddywediad neu frawddeg neu weithred. Dyna'r math o gydweithio sydd wrth fodd calon dramodydd.

Roedd Wil Sam yn ffodus, wrth greu dramâu o fyd a bywyd ei gymdogaeth, fod ganddo hefyd sianel ar gyfer eu cyflwyno drachefn i'r gymdogaeth honno yn theatr y Gegin, Cricieth. Wrth gael ei gyf-weld gan Myrddin ap Dafydd yn *Deg Drama Wil Sam*, mae'n cyffesu:

> Y Gegin oedd yn dod gynta. 'To'n i'n gweld y peth ar y llwyfan hwnnw a chlywad yr actorion yn deud y leins? A hefyd – mae'n ffasiwn i feddwl heddiw 'ma mai rhyw bechod ydi comyrshaleisho, wn i ddim ar y ddaear pam – ond ro'n i'n medru cofio am y gynulleidfa hefyd 'te. Ro'n i'n gwbod yn iawn pwy fydda'n chwerthin wrth glywad y gwahanol leins. Sgwennu i blesio, galwa di o os leci di – ond sgwennu i ordor, sgwennu i ddiban hefyd.

Mae rhai'n honni na ellir dysgu rhywun i ysgrifennu drama, dim ond gosod canllawiau'r grefft yn glir. Mae yna lawer o wir yn hyn. Mae'n hollbwysig, wrth gwrs, fel y mae'r gyfrol hon wedi ceisio dangos, fod darpar ddramodydd yn darllen dramâu'n helaeth ac yn mynychu'r theatr yn aml, i gael gwybodaeth am siâp a chynnwys, crefft a chyffro dramâu. Mae'n bwysig iddo hefyd neilltuo peth amser i ddarllen beirniadaethau cystadlaethau cyfansoddi drama yr Eisteddfod Genedlaethol – yno y mae'r arbenigwyr wedi cloriannu'r holl ragoriaethau a'r holl wendidau a geir yn ymdrechion darpar ddramodwyr y gorffennol. Mae honno'n ogof aur i grefftwr y ddrama.

DYSGU'R GREFFT – ÔL-NODYN

Mewn cyrsiau ysgrifennu dramâu, ac mae yna nifer ohonynt ar gael mewn colegau a phrifysgolion, mae'r myfyrwyr yn cydbwyso golwg ar hanes y theatr, theori drama, ysgrifennu deialog â gwaith ymarferol actio a chyfarwyddo ac elfennau technegol theatr. Ond pan fydd darpar ddramodwyr wrthi'n creu deunydd gan ddisgwyl ei weld ar lwyfan y theatr, nid yw'r wybodaeth atodol yma bob amser ar gael iddynt. Rhaid iddynt gribinio'u gwybodaeth o ddarllen a darllen dramâu, a gwylio a gwylio perfformiadau mewn theatrau, a datblygu'r gallu trwy ysgrifennu ac ysgrifennu, er mwyn rhoi min ar y grefft. Rhaid iddynt ddarllen eu deunydd drosodd a throsodd, a cheisio'r cyfle i eraill roi sgriptiau ar brawf er mwyn dysgu'r ffordd galed drwy adborth gonest a chynhwysfawr. Byddai'n werthfawr gofyn i grŵp o ffrindiau roi awr neu dwy o'u hamser er mwyn cynnal darlleniad o sgript arfaethedig ac er mwyn i'r awdur o leiaf glywed lleisiau'r cymeriadau'n gwrthdaro â'i gilydd yn y ddeialog. Rhaid iddynt gofio'r un pryd na fu'r dramodwyr mwyaf llwyddiannus erioed ar gyrsiau dysgu'r grefft; yn hytrach cawsant lwyddiant ar y cyfan drwy asio'u profiad a'u gwaith i gwmnïau drama a theatrau eu cynefin.

Yn ei gyfweliad â Nic Ros yn *Disgwl Bŷs yn Stafell Mam*, dywed Aled Jones Williams:

> i fod yn ddramodydd go iawn, mae'n rhaid i chi fod yn actor ar yr un pryd. Dwi wedi meddwl erioed mai'r dramodwyr gorau ydy'r rhai sydd wedi bod yn actorion hefyd. Dwi yn meddwl hynny oherwydd bod yna ryw ddealltwriaeth o'r cyfrwng reit o'i du fewn, a dwi erioed wedi actio'n broffesiynol. Beth fydda i'n licio ydy sŵn geiriau a sŵn iaith lafar, pobl yn siarad; ar y cyfan rhywbeth i'w hynganu ydy iaith i mi, nid rhywbeth i'w ddarllen. Felly byd llafar ydy fy myd i nid byd llyfr.

Efallai na fyddai pawb yn cytuno â'r gosodiad bod yn rhaid i ddramodydd fod yn actor hefyd ond mae'n wir bod angen iddo fod yn ymwybodol o grefft y theatr, o ddulliau cyflwyno drama ar lwyfan, o dechnegau ymarferol y theatr ac o'r cyswllt rhwng y llwyfan a'r gynulleidfa.

Rhaid cofio bod crefft y ddrama fer wedi ei seilio ar ddweud stori a hynny trwy weithredu cymeriadau ar lwyfan. Mae storïau'n rhoi siâp ac ystyr i fywydau'r cymeriadau, ac yn cynnig cyfle i deithio i diroedd sy'n anghyfarwydd. Maen nhw hefyd yn galluogi'r dramodydd i archwilio ac i wyntyllu sut byddai bywyd, sut gallai bywyd fod, a'r hyn y dylai fod.

Y cyngor gorau i ddarpar ddramodydd yw chwilio am ddeunydd da. Yn ail, o'r deunydd a ddarganfyddir mae angen llunio strwythur ar gyfer y ddrama orffenedig. Mae drama'n fwy na chyflenwad o wybodaeth, yn fwy o lawer na grŵp o gymeriadau yn siarad â'i gilydd. Mae meddyliau, cymeriadau a digwyddiadau'n cyfrannu at y cyfanwaith. Y cyfanwaith yw'r plot. Nid ymgom yn unig yw drama – mae deialog yn llai pwysig na theimladau, darganfod a dewis. Tasg fwyaf anodd ysgrifennu drama yw'r meddwl sydd wrth gefn y cyfan, a hynny cyn dechrau cyfansoddi deialog.

Dewiniaid delweddau yw dramodwyr. Gan ddefnyddio'u gweledigaeth bersonol, maen nhw'n bwrw golwg dros eu byd ac yn dewis grŵp o ddelweddau. Ac yna, maen nhw'n defnyddio'u sgiliau i'w gweu'n un weledigaeth fawr, gofiadwy. Mae drama'n dapestri o ddelweddau, wedi eu gweu gan grefft y dramodydd yn weledigaeth unigryw o fywyd. Mae'r dramodydd yn ei gysegru ei hun i'r weithred, a'r weithred yw byw.

Mae angen dybryd am ddramâu byrion (a mathau eraill o ddramâu hefyd mewn gwirionedd) ar y theatr Gymraeg. Mae ar ein cynulleidfaoedd angen dramâu sydd yn adlewyrchu bywyd cyfoes. Wrth feirniadu cystadleuaeth cyfansoddi drama yn Eisteddfod Genedlaethol De Powys, 1993, yr oedd geiriau'r beirniaid Graham Laker, William R. Lewis ac Ewart Alexander yn hallt ac yn dreiddgar, ac maen nhw'r un mor berthnasol heddiw. 'Agweddau ar Gymru' oedd testun y ddrama:

> Mae arddull theatraidd rhai yn hynod henffasiwn. Gellid dadlau bod eu pynciau hefyd yn henffasiwn. Pa mor aml y mae rhai ohonynt yn mynychu'r theatr? A ydynt yn darllen dramâu cyfoes o gwbl? Yr oeddem yn amau'n fawr. Chwiliwyd yn ofer am ddramodydd a oedd mewn gwir gysylltiad â'r Gymru gyfoes. Roeddem yn awchu am weledigaeth wreiddiol, ddiffuant; am

rywun a allai ein cynhyrfu i weld pethau o'r newydd; am rywun
a allai roi ysgytwad iawn inni. Gwaetha'r modd, mynnu troedio'r
un hen lwybrau a wnaethant; ailatgyfodi, mewn dull hynod ddi-
ddychymyg, hen hen syniadau a dadleuon.

Mae yna ddigon yn digwydd o'i gwmpas, yn bersonol, yn
gymdeithasol ac yn wleidyddol, a allai gynhyrfu'r dramodydd
i ysgrifennu. Mae'r ddrama fer o leiaf yn fan dechrau cryno a
hydrin i bortreadu agweddau pryfoclyd a chynhyrfus i gynulleidfa
yn y theatr.

Yn y gyfrol hon cyfeiriwyd at sylwadau dramodwyr ac at
eiriau doeth beirniaid, a rhoddwyd trawstoriad o ddyfyniadau o
ddramâu byrion fel enghreifftiau o grefft y cyfrwng. Crefftwr yw
dramodydd, crefftwr sy'n creu realiti o'r dychymyg, y realiti a
ddaw yn fyw trwy gelfyddyd y cyfarwyddwr, yr actorion a'r
technegwyr ar lwyfan y theatr. Fel dywed Harri Parri yn ei feirn-
iadaeth ar gystadleuaeth y ddrama fer yn Eisteddfod Genedlaethol
Aberystwyth, 1992:

> Diemwnt yw'r ddrama fer yn ôl Ayckbourn, yn ychydig o ran
> swm ond yn abl i ddangos miliwn o adlewyrchiadau.

Llyfryddiaeth

Ayckbourn, A., *Garddwest Gosforth* yn *Pum Picil* (Cyfieithiad Emyr Edwards. Caerdydd: Hughes a'i Fab, 1989).

Ayckbourn, A., *Rhwng Pob Cegaid* yn *Pum Picil* (Cyfieithiad Emyr Edwards. Hughes a'i Fab, 1989).

Ayckbourn, A., *Mixed Doubles* (Meuthen, 1970).

Cynan, *John Huws Drws Nesa* (Gwasg Aberystwyth, 1950).

Davies, D. T., *Y Pwyllgor* (Caerdydd: The Educational Publishing Co.).

Davies, J. K., *Meini Gwagedd* yn *Gwaith Kitchener Davies* (Gwasg Gomer, 1980).

Edwards, A. R., *Dramâu Cymraeg Un Act* (Aberystwyth: Pwyllgor Addysg Ceredigion, 1955).

Edwards, E., *Apocalyps* yn *Y Fodrwy a Dramâu Byrion Eraill* (Llandybïe: Gwasg Dinefwr, 2009).

Edwards, E., *Dringo yn yr Andes* yn *Chwe Drama Fer* (Llanrwst: Gwasg Carreg Gwalch, 2005).

Edwards, E., *A Wnêl Dwyll* yn *Chwe Drama Fer* (Llanrwst: Gwasg Carreg Gwalch, 2005).

Edwards, J. M., *Prawf Lwcwlws* (Cyfieithiad o *The Trial of Lucullus* gan Bertolt Brecht, *Arfau i'r Actor Ifanc: 2. Bertolt Brecht*. CBAC, 2002).

Evans, J. R., *Chwe Drama Fuddugol* (Aberystwyth: Llyfrau Ceredigion, 1960).

Evans, J. R., *Broc Môr* (Dinbych: Gwasg Gee, 1956).

Evans, J. R., *Y Cardotyn* (Llys yr Eisteddfod Genedlaethol, 1963).

Francis, J. O., *Y Potsiar* (Cyfieithiad Mary Lewis, *The Poacher*, Cardiff: The Educational Publishing Co.).

Harries, L., *Chwe Drama Fer* (Llandysul: Gwasg Gomer, 1944).

Howells, G., *Catalog Dramâu Cymraeg 1950–79* (Dinbych: Gwasg Gee, 1980).

Jones, J. G., *Tri Chyfaill* yn *Rhyfedd y'n Gwnaed* (Dinbych: Gwasg Gee, 1976).

Jones, J. G., *Rhyfedd y'n Gwnaed* (Dinbych: Gwasg Gee, 1976).

Jones, J. G., *Y Tad a'r Mab* (Llandysul: Gwasg Gomer, 1986).

Jones, J. G., *Pedair Drama* (Dinbych: Gwasg Gee, 1971).

Jones, J. G., *Yr Eithriad a'r Rheol* (Cyfieithiad o *The Exception and the Rule*, gan Bertolt Brecht. *Arfau i'r Actor Ifanc: 2. Bertolt Brecht*. CBAC, 2002).

Jones, W. S., *Pum Drama Fer* (Aberystwyth: Gwasg y Glêr, 1963).

Jones, W. S., *Dinas Barhaus a thair drama arall* (Tal-y-bont: Y Lolfa, 1966).

Jones, W. S., *Bobi a Sami* yn *Deg Drama Wil Sam* (Llanrwst: Gwasg Carreg Gwalch, 1995).

Jones, W. S., *Y Fainc* yn *Deg Drama Wil Sam* (Llanrwst: Gwasg Carreg Gwalch, 1995).

Jones, W. S., *Seimon y Swynwr* yn *Deg Drama Wil Sam* (Llanrwst: Gwasg Carreg Gwalch, 1995).

Jones, W. S., *Y Wraig* yn *Deg Drama Wil Sam* (Llanrwst: Gwasg Carreg Gwalch, 1995).

Molière, J. B., *Y Briodas Orfod* (Cyfieithiad N. H. Thomas. Gwasg Thomas a Parry, 1926).

Parry, G., *Poen yn y Bol* yn *Dramâu Gwenlyn Parry* (Llandysul: Gwasg Gomer, 2001).

Parry, G., *Y Ddraenen Fach* yn *Dramâu Gwenlyn Parry* (Llandysul: Gwasg Gomer, 2001).

Parry, G., *Hwyr a Bore* yn *Dramâu Gwenlyn Parry* (Llandysul: Gwasg Gomer, 2001).

Simpson, N. F., *Hollti Blew* (Cyfieithiad T. James Jones o *A Resounding Tinkle*. Gwasg John Penry, 1995).

Strindberg, A., *Miss Julie* (Cyfieithiad Glenda Carr a Michael Burns. Caerdydd: Gwasg Prifysgol Cymru, 1991).

Synge, J. M., *Marchogion y Môr* (Cyfieithiad Jeremiah Jones o *Riders to the Sea* yn 'Welsh Drama Series', Rhif 130, Samuel French).

Synge, J. M., *Cysgod y Cwm* (Cyfieithiad Jeremiah Jones o *The Shadow of the Glen*, Samuel French, 1934).

Jones, Williams A., *Pêl Goch* yn Nic Ros, gol., *Disgwl Bỳs yn Stafell Mam* (Caernarfon: Gwasg y Bwthyn, 2006).

Jones, Williams, A., *Wal* yn Nic Ros, gol., *Disgwl Bỳs yn Stafell Mam* (Caernarfon: Gwasg y Bwthyn, 2006).

Jones, Williams, A., *Tiwlips* yn Nic Ros, gol., *Disgwl Bỳs yn Stafell Mam* (Caernarfon: Gwasg y Bwthyn, 2006).

Jones, Williams A., *Merched Eira* (Llanrwst: Gwasg Carreg Gwalch, 2010).

Jones, Williams A., *Chwilys* yn *Merched Eira* (Llanrwst: Gwasg Carreg Gwalch, 2010).

Williams, I., *Cap Wil Tomos* (J. D. Lewis, 1951).

Williams, J. E., *Deg o Ddramâu Byrion* (Caerdydd: The Educational Publishing Company).

Williams, T. Hudson, *Yr Arth* (Chekhov) yn *Pedair Drama Fer o'r Rwseg* (Aberystwyth: Cymdeithas Lyfrau Ceredigion, 1964).

Williams, T. Hudson, *Yr Hen Ddiod Na Eto* (Tolstoi) yn *Pedair Drama Fer o'r Rwseg* (Aberystwyth: Cymdeithas Lyfrau Ceredigion, 1964).